目　次

挿画　須田剋太
地図　熊谷博人

ハバロフスクへ

新潟から

少年のころ、夢想の霧の中でくるまっているほど楽しいことはない。

私の場合、口もとに薄ひげが生えてくるころになっても、この癖は癒らなかった。

そのころの夢想の対象は、東洋史にあらわれてくる変な民族についてだった。漢民族は、自分の文化のみが優越しているという意識を中心にして、他民族を考えた。

古い時代の漢民族文明は、かれらの種族名を漢字にする場合、ひどい文字をつくった。獫狁（けんいん）とか、犬扁（けものへん）とか、豸扁（むじなへん）とかであらわした種族名が多い。周の時代、北方のモンゴル高原にいた民族を、獫狁などとよんでいたころもある。獫は猟犬の一種で口さきの長い犬をいう。犬の仲間に入れていたのである。この獫狁が、漢の時代になって匈奴（きょうど）とよばれるようになる。匈は胸という意味もあるが、匈々（きょうきょう）といえば喧ましくさわぐ、という意味ももっている。漢民族からみれば匈奴は言葉を異にするため、やたらに言い騒いでいるというふうな印象をうけるし、げんにかれらは騎馬を駆って南下し、漢民族の農耕地帯を荒らすために、その点でもこの北方の騎馬民族は騒がしく匈

匈たる連中にみえたであろう。

渤海沿岸や朝鮮北部の海岸で漁労していた連中はムジナ扁で、貊とよばれた。似た地帯に獩というのもいた。いかにもよごれて垢くさい、という感じの文字である。

勢力のある異民族に対しては、さすがに犭や豸はつけないが、決していい文字は選ばない。漢帝国が倒れてから華北を占拠した五つの遊牧民族は、匈奴、羯、鮮卑、氐、それに羌であった。羯はいまの山西省で遊牧していた連中だが、文字では人扁にされず、羊扁である。氐はひくいとか賤しいとかという意味があるが、ケモノでないだけましであろう。羌も、文字の上部が羊だが、下部は人を意味するから、まだ結構といわねばならない。

当時の私の夢想は、漢民族からこういう奇態な文字をかぶせられた民族を、ちょうどいまの子供が宇宙人をおもうような感じでさまざまに想像することだった。文字が奇怪なだけに、宇宙人への想像よりも、私には刺激的だったように思える。たとえば狄などという文字の形のよさといい、音の金属的な快さはどうであろう。狄は漠然と北方の非漢民族をさす言葉だが、文字に「犬のようなやつら」という気分がある。犬のように素早く、犬のように群れをなし、犬のように剽悍で、犬のように中国文明に無知であるというところに、草原を駆ける狄の集団の、たとえば蒼穹を虹のつらぬくようなたかだかとした爽快さが感じられないか。

「街道をゆくで、モンゴルへの街道はどうでしょう」
と、編集部からいわれたとき、ついその気になったのは、右のような子供のころからの思いが
あったからである。

いまも、「狄」の後裔の国はある。

ゴビ砂漠をふくめて、標高一二〇〇メートルの高原をなす北方アジアの一角にあり、モンゴル
人民共和国というのがそれである。かつては、外蒙といわれた。中国語である。外というのは漢
民族の側からみてのそれで、本来、モンゴル人の故地は、中国側でいう内蒙の低い草原地帯より
も、オノン、ケルレンの流れる外蒙高原にある。

そこはソ連の防衛圏内に入っているために、戦前、日本人はとてもゆけなかった。日本の軍事
探偵や秘密工作員が潜入したこともあったらしいが、生きて帰った者が無いか、まれということ
になっていた。

言葉は、「狄」のころからさほど重大な変化はしていない。さほど重大なというのは、漢語の
大量導入をする以前の日本語といまの日本語ほどに激しい変化は、というほどの意味である。言
葉の構造は日本語に酷似している。よく間違われるが、中国語とはまったく類縁はない。

習俗──たとえば家屋、食物、牧畜の仕方など──も、「狄」のころから、すくなくとも十三
世紀の元帝国のころから、基本的には変っていないであろう。かつてモンゴルに不利益のみをもたらした
モンゴル人民共和国は、半世紀前に革命をやった。かつてモンゴルに不利益のみをもたらした

中国と手を切り、手を切るために帝政ロシアに接近したり、次いでソ連の応援をもとめたりして、社会主義化した。遊牧社会という古代形態を、いきなり社会主義にするというのは人類最初のきわだった試みだとおもうが、存外、農業社会をそれへ切りかえるよりは混乱がすくなかったのではないかとおもえる。

その後も、モンゴル人のちょっと類のない純朴さというのはうしなわれていない、という消息はしばしばきいた。

八月（一九七三年）の下旬にゆこうと思い、四月の半ばから準備をはじめた。準備といっても、書斎にある昭和八年刊の『蒙古語大辞典』のホコリをはらい、それをながめて、かつての仕込みのすくなさに溜息をついている程度で、あとは毎日一度は北アジアの地図をとり出して、地名を憶えようとしたくらいのものである。

いよいよあす出発という荷ごしらえのいそがしい夕に、齢上の友人がきた。元来が長っ尻だし、それにさほどの用事もない様子だったから、早々に帰らせるため、あすから旅行だ、といってみた。

友人はそういうことでたじろぐ男ではない。ゆっくりと茶碗をとりあげた。かれとは少年のころから友達だったので、当時の私の西域好きをおぼえてくれているはずだった。

「じつはモンゴルへゆくんだ」

といえば帰るだろうと思い、そういった。そのときかれは茶碗ごしに私の顔をじっとみて、

「モンゴルという国、あるの?」
と、いった。

かれにすれば、そんな国も民族も、はるかな歴史的存在で、いまの世の中に在りようもなく、たとえば突厥、タタール、吐蕃などの活躍したころの影絵のような印象の世界に組み入れられているのであろう。

そういえば、私もその程度の認識しかないかもしれない。

さきにふれた夢想少年のころ、自分のこのえたいの知れぬ夢想の群れを何によって総合していいかわからず、いっそモンゴル言葉を勉強してモンゴルに取り憑かれてみようと思ったときに、ひどく荷が軽くなったような実感がある。

そのときも、モンゴルをすこしでも知っていたわけではない。むしろ知識がないからこそ、自分の夢想を総合する代用観念になったわけだし、その観念で昂奮することもできたのである。

たとえば、インドならまずかった。なまじい、インド人なら神戸あたりで貿易商などをしていてその姿を日本で見ることができるし、それに仏教の故郷という知識などもあって、想像が小さくなってしまう。そこへゆくと、モンゴルは蒼い天空の下を馬で駆けまわっているという大光景のほかは、すべてとりとめもない。だからこそ地名や民族名でありながら、少年の観念の代用になりうるのである。

もっともモンゴル語を習いはじめてから、この言葉を日常つかっている人数が、世界で、ちょ

うど大阪市の人口ぐらいしかないということを知ったとき、覚悟していたとはいえ、ちょっと気持の悴れる思いがした。いま、友人から、モンゴルという国はあるのか、といわれてべつだん笑う気がしなかったのは、私にとっても似たようなもので、モンゴルは多分に夢想の中の国だからである。

「あるよ」

といったものの、それ以上どう説明していいかわからず、結局、国土は日本の四、五倍のひろさで、人口は岡山県よりもややすくないが、社会主義国の建国歴としては世界で二番目だし、二つばかり近代都市もある。首都の赤い英雄市では都市設計こそロシア風だが、首都を離れれば上古以来の草原がひろがり、上古以来の遊牧がおこなわれている。ひとびとは天幕(包)に住み、アパートに住むウランバートルの市民たちもつねに包に住みたがり、げんに草原に自分の包をもっている人が多く、休暇になるとそこに住む。そういう生活でありながら、原子物理学者も、電子工学者もいる、と百科事典ふうに説明した。

しかしその程度ではイメージを結びにくいらしく、かれは天体の話をきくようにぽんやりした表情のまま聴いていた。やがて、

「つまり、ジンギス・カンかね」

と、話を飛躍させた。ジンギス・カンの名を出すことによってしかモンゴルについての想像が結べないというのが、おそらく世界中のたいていの人がそうにちがいない。チョンマゲとゲイシャで日本への想像を完結させてしまうことと似ているであろう。ジンギス・カンなど、いまのモ

ンゴルには存在しないのと同然だし、かれが侵略者であったということで、懸命に存在させまいとしている。

いまのモンゴル人は、かつてのジンギス・カンのモンゴル人であるという世界中が持つ常識的印象を払いのけるためにひどく気をつかっている。ジンギス・カンは現在のモンゴル人民共和国の人口の半分にも足らぬ人口をもって、世界を征服し、その往くところ、皆殺しをやってのけ、都市国家のなかではその皆殺しのためにそれっきり歴史から消滅したのもいくつかある。

ロシアはモンゴル人に支配——タタールのくびき——されていたし、ユーラシア大陸のほとんどの国が、ジンギス・カンから被害しか受けなかった。その伝承や歴史が国々に濃厚に残っている以上、その国々と外交をしてゆかねばならぬモンゴル人民共和国としてはそれを誇れないというのが当然であろう。

要するに、モンゴルは日本人にとって想像のよすがもない国であり、その点、私もモンゴルばかりは行ってみなければわからないような気がした。

新潟で一泊した。

ここからハバロフスクまで定期航路がひらかれているのである。モンゴルへは、おそらく今後もじかにゆけることはあるまい。ソ連を通らねばならない。われわれはハバロフスクで一泊し、次いでイルクーツクで一泊し、そこのモンゴル領事館でヴィザをもらい、三度目の乗りかえで、ようやくモンゴル高原へ飛びたつことができるのである。

翌朝九時すぎに、新潟空港の空港ビルの中に入った。

ひろい待合室に、われわれ以外に客はなさそうだった。

新潟から日本海をとびこえて沿海州のむこうに飛ぶなど、なにか、古代の航路をおもわせる。

いまは広大なシベリアはソ連領になり、東北（旧満州）は中国領になってしまったが、かつては

ツングース民族の天地であった。その一派が渤海国をつくっていたのは、七世紀から十世紀まで

のあいだである。

渤海国の使節は、平安期、しばしば日本にきた。その発航地はソ連領ポシェット湾だったろう

と推測されるが、かれらは敦賀湾をめざした。しかし風むきによっては能登に吹きよせられるこ

ともあった。それらの東北アジアや北アジア古民族の裔（すえ）はついに近代国家の成立にまで漕ぎつけ

ることができず、いまはソ連や中国のなかで、少数民族として、いわば大民族が作りだした体制

のなかで、それはそれなりに生きている。

それらの古民族からみれば、モンゴル人はともかくも半世紀前に中国のくびきから脱して一国

を成すにいたっただけでも、奇観とすべきことかもしれない。

待合室の隅ですわっていると、他に客が二人きた。

そのうちの一人の面差しに記憶があった。五十前後の紳士で、眉が小気味よく騰（あが）り、厚い瞼を持

ちあげている両眼が大きく、よく光って、ひどく印象的な容貌だった。

「僕の顔、思い出せないか」

と、かれのほうから、私の記憶を呼びおこしてくれた。すぐわかった。われわれは三十年前、兵庫県の青野ケ原の兵舎で一緒だった。学徒出陣ということで、文科系の学生がいっせいに兵隊にさせられたのだが、かれと私は右の兵舎——戦車十九連隊——で初年兵教育をうけた。

かれは難波康訓といい、帝人の輸出部長をしていて、イルクーツクで開催中の見本市にゆくのだという。

かれも私も初年兵期間がおわると、下級将校の速成教育をうけるために、それぞれ別な学校へ行った。かれは千葉の戦車学校へ行き、その後別な兵科にうつったのだが、私は満州四平街にあった四平戦車学校に入れられ、そのまま戦車兵科に残った。

「四平へ行った連中は、ほとんど死んだときいていたが」

と、かれは、生き残っている私をふしぎそうな目でみた。かれのように内地の千葉へ行った組は、たしかに幸運だった。満州へ行った不幸な戦友たちはほとんど死んだという伝説がいつのまにかできて、千葉組はたがいの幸運を確かめていたのにちがいない。

「そんなに死ななかったよ」

と、修正を求めても、すぐには信じないような表情だった。

私はかれの出現で、日本帝国が非力ながらもソ連と満州・シベリアの国境線を互いに張りあっていた陰鬱な歴史時代を思い出さざるをえなかった。上代の渤海への思いのほうが、はるかに無責

任な透明さがあって、結構だったのだが。

偉大なる逆説

日本海は、快晴だった。われわれの飛行機はシベリアの東端にあるハバロフスクの空港にむかっている。これが海路なら目標がナホトカになるのだが、どちらにせよ、ユーラシア大陸の最東端の都市であることには変りがない。

私はある西欧のアジア通が書いた文章を思いださざるをえない。筆者は東京の消費文明の華やかさにおどろくのだが、海路日本を離れ、シベリアの最東端の草深い小都市に着いたとき、ほっとしたという。これでもヨーロッパ人の町だという安堵感である。東京がいかに大繁栄していようともどこかヨーロッパ人の触感や粘膜感覚に逆らうところがあり、ナホトカがいかに入国管理上の手続が重苦しくて憂鬱であろうとも、町そのものはやはりヨーロッパ感覚の一砕片であるということなのである。

これは当然なことだが、シベリアがもとからロシア人のものであったという事実はない。日本

史の区分でいえば僅々、徳川時代の初期から中期にかけて西からやってきたロシアのコサック群
の活動によって併呑されていっただけで、十九世紀以後の概念でいえばこれは侵略になる。

たしかにハバロフスク付近を制圧したコサックの隊長ハバロフの活動は十九世紀以前の概念で
いえば英雄的であるだろう。げんに、ハバロフスクの駅前広場に、ハバロフというコサックの
隊長の大きな銅像が立っていて、ソ連政府から国家的な賞讃をうけている。

しかしこの種の国家行動は、十九世紀から二十世紀にかけて、侵略という概念になった。一つ
行動についての概念が、近代のある時期に入って時間的に一線が劃され、その一線を境に善悪を
まるで異にするというのは、文明史の妙趣であるように思える。ともかくも十九世紀以前の侵略
者はいまなお英雄なのである。ジンギス・カンほど巨大になってしまうと、ロシア人たちはそれ
を激しくきらうが。

人類を政治社会の面から総合してとらえる学問が将来成立するとすれば、後世の学者はこの一
線の成立に大きな興味をもつにちがいない。たれがどういう理由で一線を引いたかということで
ある。世界の大きな部分に支配的影響をもつ強大な民族がたがいに暗合しあって引いたのか、そ
れとも人類社会の進歩そのものが必然的にこういう一線を生み出したのか。

いずれにせよ、歴史的存在としての英雄ハバロフ隊長は幸運だったというべきであろう。かれ
は十九世紀以前に、このシベリアへきたために、その偉業をたたえられて駅前に銅像が立てられ、
英雄としてシベリアの一角に存在しつづけているのである。

沿海州の海岸は、南北にのびる山脈によって額ぶちのように縁どられている。その内側の大地はとなりの中国東北地方（旧満州）より低く、ぜんたいが湿っぽい。飛行機の窓から見おろすと、大地のもつたくましさに欠けていて、なにやら羊羹状のぶよぶよした泥海の上にびっしりと青い水草がかぶさっているに似た感じである。

その低湿の大地を、河川がS字状をくりかえしつつ蛇行している。河川は太古以来のながれがままの形状で流れ、堤防工事といったふうの人工はすこしも加えられていない。この河川の激しい蛇行状に須田画伯はおどろいたようで、窓ガラスに右眉をくっつけつつ、

「光琳でも、このカタチは考えられやしない」

とつぶやき、下を見ては奔るような速さで写生している。

飛行機は、日本航空のボーイング727である。午後二時二十分、ハバロフスク空港に着陸し、タラップから降りた。機体と別れるとき、多少の感傷があった。目の前に、税関がある。税関で象徴されるところのあの陰鬱なソ連へ入るのである。陰鬱というのは決して政治批判ではない。単に旅行者にとってのことである。たとえば飛行場で客を待たせておいて、ときに十時間もすわらせておきながら詫びごと一つ放送されないし、乗客としては捕虜のような従順さで堪えねばならない、ということなどである。そういう世界へ入るについて、日本航空の機体と別れることに、微妙な気持ちをもたざるをえない。たがいに日本国内で甘えったれっこしあっている社会的習慣か

ら、ここで訣別してしまわなければならないのである。

ホテルに入った。

四階建の建物で、ちょうど小学校の校舎のように余計な飾りっけがなく、その点、感じがよかった。

部屋に入ると、誰でもそうするように、便所と浴室を点検した。水道設備に故障があるのか、便器は水が出なかった。浴槽の湯も水も、ほんのすこししか出なかった。捕虜になるよりましだと思え、と私はみずからに言いきかせた。せまい浴室は、赤い染料入りのコンクリートで塗りかためられている。どうみても素人の左官仕事らしく、パイプを埋めこんだ柱もいびつで、天井も妙なぐあいだった。ひょっとすると、この土地に抑留されていた日本人捕虜のしごとかもしれなかった。

捕虜といえばこれは帰路のことだが、まるで影のような人に遭った。

往路はハバロフスクが最初の関所だったが、帰路はここが最後の関所になる。帰路の宿舎は、別のホテルだった。深夜の十二時ごろにホテルに着いた。その前の関所であるイルクーツクで飛行機を八時間半待たされたためで、予定によれば翌朝七時に新潟ゆきの飛行機が出るという。そのため朝五時にロビィに降りてほしいということで、当夜、ベッドに横たわり

はしたが、ねむらずにおいた。私は夜明け前に、懐中電灯で足もとを照らしながら階段を降りてゆくと、暗いロビイに埃っぽさが冷気とまじって重く淀んでいた。

懐中電灯の小さな明かりをたよりにイスを探りあて、やっと腰をおろした。ソ連では、旅客はつねにそのように遇される。交通機関やホテルが、その全力をあげて旅客を一人の王様として礼遇するという思想がこの国にないことはわかるし、そんな思想など無くてもいいことだが、万里漂泊の中にあるような、あるいは冤状旅の旅人にされているようなこの心細さばかりは、ヒューマニズムを政治化しているはずのソ連政府に多少考えてもらってもいい主題ではないか。

そのとき、むこうの階段から孤独な靴音がおりてきた。それが黒い人影になり、こちらへ近づいてくる。私の側からは影しかみえないが、かれは首を振ってしきりに前後をうかがい、ものにおびえている様子だった。

私は懐中電灯をつけて、自分の所在を知らせてやった。その影は灯に寄せられるようにして近づき、

「新潟ゆきの飛行機は出るでしょうか」

と、日本語でたずねた。それが、第一声だった。

よくみると、中背の日本人で、レインコートの肩幅がぼってりとして、だるま顔の紳士である。髪の薄さからみて、齢は五十半ばであるようだった。言葉に相模なまりがあり、勤め人というより、中小企業の経営主という感じである。

「出ると思いますが」

と、私はべつに確証もなく答えた。が、影の人はその程度の不確実さでは我慢がならないらしく、

「本当に出るでしょうか」

と、問いかさねた。

私は、イスをすすめたが、かれは相手にならず、積み残されるおそれがあるというのです、といった。ついでながら帰路の飛行機は日本航空のそれではなく、ソ連の旅客機なのである。この人のいうところでは、ソ連の飛行機は満席になると余った人は空港に置いてゆくそうで、そういう悲運のひとびとは次の飛行機がくるまで一週間このハバロフスクで待たされるのだ、というのである。かれはそれを怖れていた。その悲運からまぬがれるためにはできるだけ早く空港にゆかねばならないと思い、早く起きたのだが、フロントを見ると係員もいない、玄関には空港ゆきのバスもきていない。どうすればよいのか、というのである。

「観光ですか」

と、私はかれの不安をそらせるために、きいてみた。かれは、かぶりを振った。

「ちがいます」

激しくいった。きくと、このハバロフスクの奥地で山林の伐採をさせられていたという。二十数年前、つまり捕虜としてである。

かれは昭和二十年八月八日、ソ連軍が旧満州の奥地になだれこんできたとき、北朝鮮の部隊にいた。その後数年、多くの不幸な日本兵とおなじように、シベリアで労役させられ、そこで捕虜になった。

れた。体の弱いひとびとや環境のわるい収容所にいたひとびとの多くが、病死した。
かれの話では、かれの収容所長が、ソ連軍の少尉だったか少佐だったか、ともかく物のわかっ
たいい人で、日本人の健康状態によく気をつかってくれ、必要以上の酷使もしなかった。その
めに、病死者がすくなかったという。

「いまでも、感謝しています」

と、いった。日本人の人のよさを丸出しにしているような感じだった。捕虜を、戦争が終って
もなお労役につかうなど国際法もなにも、無視しきったやり方なのだが、それを恨むべきなのに、
恨んでいない。私が、ああいうやり方は国家としてまちがいではないでしょうか、といってもか
れはあいまいな微笑をうかべるだけで、乗って来なかった。

「ともかくも、その収容所の者はみな、その人のおかげで命びろいできたのです」
その山の中の収容所で働かされていたひとびとが、いま会をつくって毎年集まっているという。
その会で、その所長を日本に招待してぜひ感謝の宴を設けたいという計画ができ、東京のソ連大
使館とここ数年交渉してきた。

ところが突如、大使館のほうから許可の通知がきた。ただし日本に来させることはできない、
一同がハバロフスクまで行くなら、その元所長をモスクワからよんでおく、ハバロフスクで会え、
ということだった。

急なことだったから、都合がついたのは五人だけだった。五人でハバロフスクへきた。

のだが、船便にしたあとの四人が、この人だけは仕事が待っているので飛行機で帰ることにした

――ソ連の飛行機は積み残されると、翌週まで待たねばならない。

と、おどしたらしい。げんに、このホテルに、先週帰った観光団体の添乗さんが積み残されて泊まっているとこの人はいう。私は真偽のほどはわからないが、ともかくこの人がひどくおびえていることだけは確かだった。

私はさらに気を外らせるために、自分はこのハバロフスクのむかいの旧満州牡丹江省にいたことがある。幸いソ連軍が入ったとき満州から去っていたからよかったものの、そうでなければあなたとおなじ運命になっていたはずです、といってみたが、かれはそんな他人の過去など、聴く余裕をもっていなかった。またしても身をかがめて、

「新潟ゆきの飛行機は、出るでしょうか」

と、無意味な（私にきいたところで）質問を、いまはじめて発したような新鮮さできくのである。私までが、不安になった。

「あなた」

と、私はたずねてみた。

「あなたはまた捕虜になると思っているんじゃないですか」

半ば笑わせようと思ったのだが、かれは笑わなかった。

私はその所長のことをきいた。　優しかった所長さんはいま退役になって恩給生活を送っている。

かれはモスクワからきて、この町で五人の元被収容者と交歓した。町の新聞が取材をしにきて、写真などを撮ったとの元所長は相変らずいい人だったが、たった一点だけについてはきびしかった。

「日本はいまも対ソ侵略の意図をもっている」

と、いうのである。これではかりは、五人の被収容者はそうではないと力説せざるをえなかった。

日本人のたれもそんな気持をもっていない、というと、元収容所長は、

「自衛隊があるじゃないか」

と、きりかえし、どうにも納得しなかった。

この人は、なおも立っている。私は見上げつづけていたのだが、やがてその襟に、大きな金ぶちのバッジが光っているのを見た。ソ連人は勲章が好きだが、どうも勲章にしては安っぽすぎるようだった。そのバッジは何ですか、ときくと、かれははじめて微苦笑して、

「もらったんです」

と、いった。

「その元所長が、モスクワからわざわざ持ってきた、といって、五人の者にくれたんです。おみやげのつもりでしょうか」

やがて、はずかしそうに、

「ソ連の在郷軍人のバッジなのです」

と、いった。

アムール川の鞦韆

　ハバロフスクに着いたとき、陽はまだ十分高かった。空はステンド・グラスの青のように冷たく晴れている。この空の青さをアムール川が映している景色を見たいとおもい、ホテルを出た。町を横切り、公園の丘陵をくだってゆくと、散歩にちょうどいい程度の歩行距離で岸辺に達することができた。

　なるほど、川幅は大きい。対岸は遠い。さらに遠くに地球のしわのようにかすんでいる山々がある。そのあたりは中国領東北地方の黒竜江省であろう。かつて日本が傀儡国家としていた「満州国」の行政区分でいえば、牡丹江省であった。その対岸に自分が兵隊としてかつていたことを思うと、夢のような気がする。当時、私どもの連隊から、交代で国境の監視哨が出ていた。私は一度も出なかったが、もし出ていれば、この黒竜江の流れを、むこうの山から倍率の大きな眼鏡で眺めていたことになる。

　当時、黒竜江をはさんで関東軍とソ連軍が対峙していたことになるが、ソ連軍の兵力の大きさ

と機械化の充実ぶりからみれば関東軍などは虚勢というより、おもちゃのような軍隊だった。私は、その関東軍でももっとも薄弱な兵科である戦車連隊にいたために、自分の乗り物の貧弱さを通してソ連陸軍の巨大さを感ずることができた。地をおおう鉄の城壁のように感じられ、もし戦争になれば何時間支えられるのか、と思ったりした。そういう恐怖の感覚からいえば、黒竜江の対岸には鬼の群れが棲んでいるとしか思えなかったが、いまは幸い、アムールはただの川として流れているだけである。

すべて「歴史」がおわったおかげである。「歴史」というのは了ってしまえば馬鹿のようなものだ。当時の私は、自分が常時もぐりこんでいる中戦車の油くさい鉄の壁を通してしか、自分の運命を考えることができなかった。その鉄の壁たるや、世界的標準からみてはるかに薄かったが、まして重装備を誇るソ連の戦車とは比較にならない。当方が載せている火砲はタドン玉のようなものを発射する程度の小さな榴弾砲で、とうていソ連戦車が載せている長加農砲と太刀打ちできるしろものではなかった。当方が発射しても相手はかすり傷も負わず、逆に相手が一弾を発射すれば当方は豆腐のように串刺しになってしまうだけのことである。

この想像のつらさは、絶対敗北用の兵器に乗らされていた者でなければわからない。敵弾が串刺しにしてくれるなら、まだよかった。もし一方の鋼板のみを貫いた場合、砲弾は車内のあちこちにぶつかって肉屋の機械のように乗員の体をコマギレにしてしまう。

川むこうの山々を見て、当時の重苦しい気分がにわかによみがえってきた。しかしすべては

——というより私の主観のなかでは——それらは「歴史」の彼方に去った。もっとも役者だけが変ったが、舞台は残っているといえるかもしれない。あの川むこうの山々の陣地には中国兵がいるかと思われる。かれらの何人かは、当時の私とおなじ重苦しい気分で、この低湿な草原を流れてゆく黒竜江のにび色のひかりを望遠鏡でのぞいているのではないか。

夏の終りごろで太陽は必ずしも強くなかったが、河岸では町のひとびとが泳いだり日光浴をしたりしていた。遊んでいるというより、長い冬に備えて皮膚を強くしているといった感じで、鼻の頭を赤くした中年の婦人や巨大な濡れパンツを腹から下に垂れさげている初老の男が多かった。私を外国人とみて物をせがむ子供が多かった。ドルを持っているかとか、チョコレートをくれるとか、タバコをくれないか、とかいったたぐいの小さな用件を持って、入れかわり立ちかわり接近してくる。

流れの沖のほうに舟が通るたびに、河岸に波が寄せる。水に手を入れてみると、ひどく冷たかった。この水温では真夏でも長時間泳ぐことは無理かもしれなかった。

黒竜江は、意外に青くはない。

空の青さを無視したように、やや黒ずんだ鉛色の流れである。この川はほとんど地球的な規模の長さをもち、はるか北西のモンゴル地帯の水をあわせている。漢文では黒水とよばれるが、モンゴル語でも黒い川という。アムールがどの民族の言葉かはわからないそうだが、おそらくこの川のふちに棲んでいたツングース系の河川漁労民族——サケヤマスをとっていた人たち——の言

葉であったのを、やがてロシア人が用いるようになったにちがいない。

旧満州からこの東シベリアのあたりの民族事情はすでに漢代には漢民族の視野に入っていた。隋・唐ごろになると、黒水靺鞨と総称された。黒竜江の流域の森林で狩猟しているツングース系の民族のことで、革扁（かわへん）がついているところをみると、毛皮を着た人間という視覚的印象からそんな文字が選ばれたのだろう。

隋・唐の漢民族の観察では、黒水靺鞨は七部にわかれていたという。ただ、この種族が大同団結してみずからの広域国家をつくりあげるということはなかった。

靺鞨もその一派であるツングースの血はわれわれ日本人の血の中にも入っているはずだが、ともかくその居住地域は広大である。北は北極海から東はオホーツク海、サハリン（樺太）、南は中国東北地方におよんでいる。ほとんどが原始採集生活のまま近代に至ったために、ソ連、中国といったような強大な国家に帰属させられ、単なる「少数民族」にされてしまった。

かれらの語族の一派が国家をつくったことはある。渤海、金、女真（じょしん）などで、とくに清（しん）にいたっては中国大陸に征服王朝をつくった。それらの連中はツングースのなかでも、農業や牧畜をやってきた連中で、農業や牧畜を中心に民族がかたまっている場合は国家を興しやすいのであろう。黒水靺鞨のように、森の狩猟や河川の漁労をやっている場合は、小グループがたがいに孤立してしかもそれなりに充足している採集生活であるために、国家を興そうにもおこしようがないのか

もしれない。

黒水靺鞨のなかでも河川で漁労をしているグループは、とくに未開のまま置きざりになる公算がつよかった。

かつてこのハバロフスク付近の河畔にいたのは、河川漁労の靺鞨である。

隋の時代でもなお石器を用いていたといわれ、ごく最近まで中国人はかれらのことを、

「魚皮韃子ユーピータース」

とよんでいた。魚の皮を着た異民族、という意味であろう。かれらは黒竜江で魚を獲り、それを食べ、さらには魚の皮でズボンやクツをつくり、暮らしのすべてを太古以来、魚に依存していたからである。それも黒竜江の魚でなければならない。かれらがたとえ海に出ても海の魚をとる技術をもたなかった。漁法も生活の方法も黒竜江でしか通用しないということから、河川の漁労民族は発展がおくれ、国家をつくることを得意とする農業民族や半農半牧民族につねにしてやられてきた。

黒竜江の中国側では、かれらのことをホジェン族という。数多い中国の少数民族のなかではもっとも人口がすくなく、六百人ぐらいしかいないといわれる。ソ連側に入れられてしまっているのを、ナナイ族という。この数はよくわからないが、ソ連側にいる者はおそらく工場などで働いていて、そういう生産性のひくい漁法を守るといった状態はなくなっているのではないかと思える。アムール川（黒竜江）を見わたしても、か

つてこの川に寄生していたナナイ族らしい連中の影は見当らない。この岸で泳いだり日光浴をしていたりしているのは、みな白い肌のスラヴ人ばかりである。

町を歩いて、かれららしい顔がいないかと探してみたが、こういう行きあたりばったりの作業はよほどの幸運にめぐまれなければ無駄である。

ただ、ハバロフスクの博物館の中にだけ、かれら靺鞨漁労民の生活の痕跡が保存されていた。かつてかれらが使っていた漁具、舟、魚皮でつくった衣類などが陳列されており、よく見ると、衣類の模様などは日本のアイヌの模様を思わせるものがあった。このことは偶然かもしれない。残念なことにアイヌとのあいだには、人種的にも言語的にも類似性がないそうである。しかし古来どちらも河川漁労という小集団の作業をしつづけてきたためにやがて農業集団から軍事的圧迫をうけてその支配下に入れられてしまったという運命は、似ている。

コサックの隊長のハバロフが、三百人のコサックをひきい、このハバロフスクにやってきて堡塁を築いたのが一六五〇年というから、日本では徳川期の三代将軍家光の世で、戦国のエネルギーはなお消えず、町奴の幡随院長兵衛が、旗本のぐれた連中と張りあっていたころである。帝政ロシアの帝国主義的伸張の先駆になったコサック隊長と、稗史や小説に男伊達の名をのこした町奴の隊長の幡随院長兵衛とをくらべてどちらが面白い一生であるかは、ひとの好みによるとしか言いようがない。

「これが、ハバロフさんの銅像です」

と、私どものために通訳をしてくれたインツーリストの通訳のウラジミール・ア・チュートリン氏が、駅前広場のハバロフの銅像を仰ぎつつ説明してくれたのは、到着した翌朝である。

コサック帽をかぶり、どっしりした外套を肩にかけ、それに大きなサーベルを吊っている。銅像の巨大さからみて、このハバロフスクの地を平定して、ロシア皇帝に献上したこの人物の功績がいまのソ連でも大きく評価されているということであろう。それにひきかえ幡随院長兵衛は風呂場で死んでしまった。しかし長兵衛の非生産的な男伊達の小気味よさがいまも綿密に語り継がれているのに対し、ハバロフという人物がどういう人物だったかは、ほとんど知られていない。

ホテルの受付にいた婦人に図書館でしらべてもらったところでは、モスクワ付近のうまれで、ウラルに移り、のちシベリア探険を志し、この土地へ来たという。それ以上はわからない。

ハバロフがこの黒竜江の河畔にきたときは、前記の黒水靺鞨の漁労民族が岸の茂みに粗末な家をもち、家族単位に寄り添いながら太古以来の漁法で鮭などを獲っていたであろう。コサックたちがこの川を指さし、なんという川だと問うと、かれらは岸辺にしゃがんだままふりむき、

「アムール」

と答えた。これは想像である。

通訳長

ハバロフスクに、小さな博物館がある。入ると、大きな図表がかかげられてある。

「すべての発見の基地は、ヤクーツクでした」

と、案内してくれた人が言いつつ、図表を見あげた。ここでかれがいう発見とは、コロンブスの新大陸発見と同様、ロシア人によるシベリア発見のことである。博物館では、その地方がいつ発見され、どの町が何年に建設されたか、ということが地図で明示されている。

すべて十七世紀のことである。

冒険心に富んだコサックの隊長が配下をつれてやってきて、古来、シベリアに住んでいたアジア人を発見する。人文地理学的には、アジア人はヨーロッパ人に発見される前には存在しなかったような印象がある。かれら原シベリア人が抵抗すればそこで戦闘がおこなわれるが、普通、そうではなかったらしい。

シベリアの森林で狩猟、河川漁労、遊牧あるいは粗放な農業を営んでいた古アジア人ともいうべきひとびとは、闘争心がつよくなく、それにヤクーツク人のように農業をやっていた連中をの

ぞいては生活形態の点からいっても、土地所有の観念が薄かった。

「これはおれたちの土地だから、お前たちロシア人はどこかへ行ってくれ」

と主張した連中は、案外すくなかったのではないか。曠野の人であるかれらはむしろ外来者に対して人懐っこかった。遊牧民族や狩猟民族は、元来が客好きである。入りこんできたロシア人の話をめずらしく聴いたり、持ち物に好奇心をみせたりして仲よくやっているうちに、いつのまにかロシア帝国の領民にさせられ、いまは順良なるソ連邦の人民になっている、というぐあいだったようである。新大陸におけるアメリカ・インデアンのような苛烈な抵抗もなく、インデアン狩りのようなものもまず無かったということもあったであろう。ヨーロッパで食い詰めた白人たちは、しま味の条件がちがっていたということもあったであろう。太陽光線の豊富な新大陸は、躍起になるだけの価値があった。

インデアンから広大な農耕地をうばうことで躍起になった。

シベリアの場合、ひとつには、やってきたのが先進的な生産手段をもった白人でなく、コサックだったということもよかったかもしれない。コサックはスラヴ人とはいえ、半農半牧というこで、古代的な生産形態の中にあった。さらには遊牧民特有の大まかで開放的な気分も、原住民との調和に役立ったであろう。しかしこの発見が、少数民族の側からみれば侵略であったことには変りはない。ただ森やアムールの河畔にいた少数民族の人たちがその被害意識をもったかどうか、歴史の上で沈黙しているためにわからないだけである。

シベリアの地域地域を発見したかれらコサックたちは、まず堡塁を築いて原住民の襲撃に備え

るのが、常だった。シベリアの古い町はすべてコサックの堡塁からはじまっているのである。次いでコサックのやることは、原住の狩猟民族から毛皮税をとりたてることであった。

当時、シベリアで金目のものといえば、黒貂の毛皮であった。これをヨーロッパの貴婦人の首にまきつけるために、ロシア人は東へ東へと進み、ついに黒竜江岸に達し、沿海州の海岸に出、さらにはカムチャツカ半島までゆくのである。

毛皮税を差し出さねばならない少数民族の連中からすれば、いい面の皮であったであろう。なんのために堡塁にいるロシア人に毛皮税を持っていかねばならないのかと痛癪をおこしながら黒貂を追っかけて森を走っていた男もいたにちがいない。しかしかれらは歴史の中ではまったく沈黙のひとびとであるにすぎない。

なんのために差し出すか、という理由はどぎついばかりにはっきりしている。新大陸にやってきた白人もそうであったように、シベリアにやってきた堡塁のロシア人も、高度の殺人技術をもっていたためであった。かれらは引鉄をひけば雷のような音を発して人を斃す機械を多数もっていた。それが理由のすべてである。

さらに、滑稽なことには、

「納税民を載せている土地は、すなわちわが王朝の所有である」

という思想が、古来あったことだ。ロシアにも中国にもある。かつてこのシベリアの広大な部分を領有していたモンゴル帝国にもそれがあった。モンゴル帝国も、このシベリアの河畔や森林に棲む民族から毛皮を税金としてとりたてていた。毛皮税のことをロシア語でヤサークというの

は、もともとモンゴル語だったのである。要するにシベリア人の側からいえば、黒貂の毛皮を税金としてとりたてられることは、自分が走っている土地も取り立て側の所有になったということなのである。もしこういう連中が世界史を書くとすれば、ときに童話的で、ときに大爆笑を誘うような文体でしか書けないのではないか。

もっとも、童話的でないほうの世界史は、いまもつづいている。

あたらしい中国は、バイカル湖以東の地域はかつて中国領であった、とする。それがアイグン条約（一八五八）によりソ連領にされたことを不満とし、これをあらためて解決する用意を怠らずにいる。中ソの不仲の主要要素の一つは領土問題である。

かつて清朝のころ、黒竜江畔に住む狩猟民族の首長がしばしば清朝に貢物をもってきた。貢物をもってきたということはつまりは中国の領民であり、かれらの住む土地はとりもなおさず中国の属領である、という解釈になる。貢物とはおそらく毛皮、とくに黒貂の毛皮であろう。黒貂の毛皮を差し出しにゆく酋長は、その毛皮が後世、大国の論理の上でどれほど重大な意味をもつかは、むろん思いも寄らなかったにちがいない。

「お前は黒貂の毛皮を持ってきた。であるから、お前と黒貂が棲む土地はおれのものだ」

という大国（複数）の理屈は、庶民レベルでは子供の遊び仲間でも通用しない。ところが国家間の対立の感情や論理は、近代から現代にくだればくだるほど、ときに子供の遊び仲間以下の内容になる場合がある。毛皮税や貢物として黒貂を持ちながら、コサックの堡塁へ行ったり清朝の役

所へ行ったりしていた少数民族の先祖や子孫たちには、国際法的な立場などはない。国際法というのは本来大国間のとりきめなのである。

日本も遅まきながら、シベリアへの強盗的打ち込みを考えたことがある。

明治六（一八七三）年に西郷隆盛が主唱して廟議にやぶれ、下野した征韓論というのは、戦略的にはシベリア出兵であった。

明治六年（月日不明）内閣記録という、西郷の談話速記が残っている。

「太政大臣ナ、篤と聞いて下され」

というところからはじまるもので、

「日本も此儘では何時までも島国日本の形体を脱することは出来申さぬ。今や好機会、好都合でごわすので、欧羅巴の六倍もある亜細亜の大陸に足を踏み入れて置かんと、後日、大いなる憂患に遇ひますぞ。……今オイドンが言ふ事をお聴きにならんと後日此の倍も骨が折れ申す。……結局、朝鮮を外垣として、後に朝鮮を策源地とし申して、魯西亜と手を引き合ふことになり申す」

というものだが、どうも偽書くさくもある。この談話の中での西郷は、かれの死後の用語を使っている。好機会、好都合、策源地といった言葉だが、たとえ西郷の時代にすでにこの言葉が存在していたにせよ、西郷がすらすら口を衝いて出すほどに熟した言葉ではなかったのではないかと思われる。しかし右の思想が西郷にあったことは他に傍証らしいものがある。

西郷は、江戸期からはじまったロシアのシベリアにおける活動に対してつよい警戒心をもち、

かれの征韓論構想もそれが核になっていた。かれにとって朝鮮が目標ではなかった。目的は黒竜江沿岸から沿海州への進出にあり、そこに屯田兵の一大強堡をつくればロシアの南下をふせぐことができるというものである。かれはシベリアにおけるコサックの活動について、当時としては最高といっていいほどの知識をもっており、日本もまたその形態をまねればよいとするもので、それには壮齢の者だけで三十万といわれる失業武士を当てる、というものであったらしい。

ついでながら、当時の西郷の認識ではシベリア・沿海州は無主の地であるとしていた。しかし実際には、それより前二百年ほどのあいだに冒険的なコサック隊長が各地で活躍して、かれらは土地を入手すればかならず皇帝に献上していたから、りっぱに帝政ロシア領になっていたのである。西郷はコサック隊長たちがうらやましかったであろう。西郷の思想を帝国主義とすれば（かれは帝国主義者にすれば哲学的でありすぎたし、むろんその実行者であったことはない）、かれの構想はすでに歴史時間からみて遅すぎた。

一九一七年にロシアで革命が成功したとき、資本主義国はこれを妨害するため、シベリアに軍隊を送った。シベリア出兵といわれるものがそれである。

もともと英仏が主導し、米国が同意したらしい。が、日本がもっとも熱心だった。この挙が、結局は世界史的な愚挙だということに各国はすぐ気づくのだが、参謀本部にひきずられた日本だけがのめりこみ、他の国がすべて兵をひきあげているというのに、ついには七万三千という大軍を送りこみ、四カ年、赤軍やパルチザンを相手に無意味な戦闘をくりかえした。近代日本がやったいくつかの愚行の一つである。

この事件については、最近、刊行された高橋治氏の『派兵』（朝日新聞社刊）にくわしい。氏は『派兵』（第一刷）の第二部のあとがきで、厳父の言葉を紹介されている。氏の厳父は、ニコライエフスクで全滅した水戸連隊石川大隊の留守隊におられ、入隊早々の新兵として、戦死者の遺品整理にあたられたという。氏の厳父はいう。「そりゃひどいもんだったな。遺品を見ただけでも現地のやられ方のひどさが目にうかぶようだった。……無敗の帝国陸軍というが、あの戦争で本当は敗けていた。……都合が悪いので、適当にかくしちゃっているけどな」。

そのとおりで、全軍の死傷率が三割という惨澹たるものであった。戦費は当時の金で十億円という巨額にのぼり、しかも外交上得たところのものは皆無で、むしろソビエト連邦から過度の対日警戒心——今日もなおつづいている——を得ただけのことにおわった。

シベリア出兵という得体の知れない国家行為は、その関係の書物をいくら読んでも依然として正体がわからない。革命のどさくさにまぎれてシベリアのカケラでも奪ってやろうという、救いがたいほどにひくい性根があったようだが、その性根のわりには、政略も戦略もあったものでなく、一体これが一人前に国家であると称している国の国家行為なのかとあきれるほどのものであった。結局は世界中の顰蹙を買い、国内世論につきあげられて逐次撤兵しはじめたが、撤兵途中の損害も大きかった。外国に対する国家行為というものはしばしば子供の思案に似る。このこと

私をハバロフスクの博物館に案内してくれたのは、ウラジミール・ア・チュートリンという国

営旅行社の通訳長さんだった。

かれは五十歳で、二十四歳の息子さんがいる。息子さんは工科大学を出て勤めているが、給料はぜんぶお母さんに渡しているという。平和な話である。

「私も、そうです」

と、かれは、バスの中でいった。袋ごとわたして、その中から毎日一ルーブルずつ小遣いをもらうのだ、という。日本の二百円亭主である。

かれはいかにも小都市在住のインテリといった感じで、くたびれた背広を着て、唇が漆喰のように白っぽく、いつも胃病病みのように顔をしかめている。

日本語は、モスクワの東洋語学校で習った。この伝統のふるい名門校はいまではモスクワ大学に合併されてしまっているために、存在しない。

かれは、私と同年である。戦争に行ったかというと、行きましたよ、となんの感情をみせずにいった。高校の課程を終えるとすぐ戦線へゆき、ドイツ軍と戦ったという。そこで病気になって後送され、東洋語学校に入った。二年生のとき、学校中途でひき出され、シベリア鉄道で東へ輸送された。日本人にとっては恨みのふかいソ連軍の満州侵入に参加するためだったらしく、北満に入って、軍通訳をしていたという。ソ連軍の満州撤退後、モスクワの学校にもどった。

「満州ではソ連兵はひどいことをしたなあ」

と言おうとしたが、このいかにも人の好いチュートリン氏の顔を見ていると、言う気がしなかった。第一、日本軍のシベリア出兵のことを思えば、言えた義理でもなさそうだった。

チュートリン氏は、シベリアうまれである。日本流でいえば大正十二年だから、年表でいえば
その前年に日本軍がようやくシベリアから撤退したことになっている。当時、もともと貧しかっ
たシベリアは第一次大戦やら革命やらで疲弊しきっていたし、それに大変な食糧難でもあった。
その上、大規模な戦火とはいえないにせよ、日本軍との戦闘が各地で散発的に繰りかえされた。
チュートリン氏は少年のころ、どの町で日本軍がどのようなことをしたというようなことを、お
そらく大人たちから聞かされて成人したであろう。

「なぜ、日本語を学ぶ気になった」

ときくと、かれは鼻をクンクン鳴らしながら、ちょっとね、面白そうだったから、とだけ答え
て、あいまいに笑った。

　　ボストーク・ホテル

ハバロフスクのボストーク・ホテル。四階建。
繰りかえすようだが、まったく気分のわるくない建物である。仰々しい大理石も使われておら
ず、高価な布を貼って室内装飾をするということもない。小学校の校舎のようにセメントでこね

あげただけという質素さが、こんにちの日本の営業の建造物を見なれた感覚からすると、変に、貧乏性を安らがせるところがある。

廊下の床は、むかしの小学校の廊下のように板張りである。　歩くたびにきしみ、子供のように駆けだしてみたくなる。

木製ワクの窓ガラスは何度も白ペンキを塗りかえているためワクの塗料が盛りあがり、いくら手前に引きつけても、ぴしっと閉まることがない。いつも隙間風が洩れている。冬はどうするのだろうと思ったが、しかしこのほうが、いかにも街道わきの旅籠屋という感じになっていて結構な感じもした。

これでもって、浴室や便所などの機械設備さえ故障していなければ言うことのない気分なのだが、いったい修理係の役人はどうしているのだろう。

部屋の窓むこうに、落葉松のような樹林がみえ、その林をつつんでいる八月の空は薄藍色に刷かれたようにして晴れわたっているのだが、しかしたっぷりと林に降りそそいでいるはずの光線には、奇妙なほど温度が感じられない。シベリアにきているのだということが、目を通じてでなく毛穴にじかに響いてくるような感じである。

かつて、この黒竜江の河畔の太陽はつめたくなかったという伝説を、この土地の少数民族は持っているそうである。

44

『ユーラシア』（新時代社刊）という小さな部数の半学術雑誌があって、その一九七一年夏季号に、「極東地方の民族文化の源流」という論文がのせられている。筆者はオクラードニコフというソ連の代表的な人類学者で、それによると、このアムール川の流域種族のあいだには、南方起源とおもわれる伝説が残されているという。

「気候の温暖であった当時のアムール河谷に沿って、独自の文化をもった南方種族の一部が、きわめて早い時代に、アジア大陸の奥地に入りこみ、時代の推移とともに森林の狩猟民と接触するようになった」

という。筆者はさらにいう。シベリアの呪術師（シャマン）の物語によると、昔は大地は暑さで沸き立っていて、暑熱のために川の魚まで死んだ。空に太陽は一つだけではなく、三つも存在した。この物凄い暑さのために、岩は蠟のようにやわらかくなった。そのころの呪術師が、二つの余分の太陽を殺し、真ン中の一つだけ残したおかげで住みよくなり、子孫が栄えるようになった、というのである。

この伝説は種族が南方にいたころの記憶によってできあがっているのだろうか。オクラードニコフによると、この伝説は、「おそらくどこか南方で発生し、その南方からの移住民が、遠い石器時代の昔に北方へもたらしたものであろうか」という。

かれは、日本の学者が想像しすぎるのに対し、その翼を大きくひろげたがる学者であるらしい。南方の種族というのは、たとえばオーストロイドだろうという。オーストロイドを豪州の原住民として限定すれば、かれらは多毛で、目がくぼみ、眉間が高くつき出ている。日本のア

イヌの体形、容姿の身体的特徴を想像させる。げんにロシアのある民族学者は日本列島の古代アイヌ人はオーストロイドと血縁が近い、というのだが、オクラードニコフはその説をも想像の基盤の中に組み入れつつ、かれらを、

「石器時代の勇敢な航海者」

とする。島から島へ、湾から湾へ、川から川へと移動しながら、新しい発明、神話、芸術を移植してまわった、というのである。

この説の当否は問わない。

もしそうだとすれば、この冬季は氷雪でとざされるアムールの河畔までできてしまったグループはまことにご苦労さんだったと思わざるをえない。原始時代には、一見、南方のほうが暮らしやすそうだと思うのだが、その故郷をすてて、どういう衝動に駆られて北へ北へと進んできたのだろう。なにか、重大な理由があったのだろうか。そういえば華北の黄河流域で古代文明を築いた漢民族も南方からきたという説が有力になっている。紀元前何千年という大昔に、南方の内陸や島嶼に住んでいたひとびとが北上運動をおこさねばならぬ理由が、地球物理学的にあったのだろうか。それとも、人間が最初の航海術を身につけたとき、つい北へむかってしまう運動律のようなものを固有にもっていたのだろうか。

白ペンキを盛りあげた窓から、いかにもシベリア風の落葉樹の林をながめていて、妙な妄想に

駆られた。　紀元前何千年というむかしは、シベリアも気候が温暖だったという説がある。　しかしやがては、ひとびとは白樺の皮の家で雪をしのぎ、鮭の皮の衣服で寒気をふせがねばならなくなる。　そして昔は太陽が三つもあって大地が煮えかえるようだったというふしぎな伝説を大切に保存しつつ、零下十度というこの土地の冬を何千年も凌いできたのである。　歴史は古代に大文明を築いた民族のために頁を割きすぎているようだが、この寒冷地で太古以来の採集生活を守りつつ生きぬいてきたシベリアの少数民族もまた褒辞（ほうじ）を受ける資格があるのではないか。

そのアムールで漁労をしていた少数民族はこのハバロフスク付近が根拠地だったわけだが、いま町を歩いていても、それらしい人相、骨格の人物にお目にかからない。

博物館にかかげられた写真としては存在する。　ここの少数民族で、ソ連のよき政治のおかげで芸術家になったり、学者になったりしたひとびとの顔写真である。

どの顔も扁平で、直毛、無髯（ひげ）、頬骨の高いツングース系の面差（おもざ）しをもっていて、ながめていると懐かしくなるような顔である。

このシベリアの古地主たちはどこかに居るのだろうが、人数がすくないために街角でぶつかるほどの幸運には、よほどのことがないかぎりめぐまれそうにない。

ホテルのロビイは狭いだけにかえって親密感を感じさせる。　一隅に黒い布張りの頑丈なイスが置かれている。　すわってみると、ドア越しに街路をながめることができた。

街路樹が気持よく育っている。樹々の間をロシア風に肥った男が、脚をゆっくり動かしながら通ってゆく。ヨーロッパの街のような堅牢さと営みの古さを感じさせる風景ではなく、素人が作ったようなセメント建築がならんでいるだけのいかにも都市風景なのだが、しかし街角にバスが停ったりするときに動く色調の変化がどこか新鮮で、やはりこの街ぜんたいのにおいには、アジアの街ではなく、シベリアはヨーロッパだと書いた筆者の気持がわかるような気がした。

建物の粗末さにも、考え方を変えればかえって風情があった。この街の建造物の多くはその戦火がおさまったころ、荒廃のなかから建てられた。資材が不足し、人手が足りず、その窮乏の中で、それらを補うためにたとえば多数の日本人捕虜を使いつつ、ともかくも建てられた。いわば、街そのものが第二次大戦後の窮迫の記念碑のような骨格をもっている。

それが、三十年ちかい風霜を経て、石灰くさいセメントの肌もそれなりに古び、風趣とまでいかないものの、それに似た寂びを感じさせる。ロシア風の宿場町といったような感じかもしれない。

ロシアのホテルは、昼には電灯をあまりつけない。このためロビィの奥まったあたりは外光が届きにくいのだが、その程よい薄暗がりの隅にカウンターがあって、中年の品のいい東洋系の婦人がいる。

最初、このひとこそアムール川の少数民族の後裔（こうえい）かと思ったが、しかしよくみると皮膚が黄土色という以外、ツングースの特徴をほとんど持っていない。鼻梁（びりょう）が高く、小鼻がツンと小さく、

両眼の間隔もせまい。日本人の特徴は雑多で、アジアの多くの人種の特徴がいたるところでみられるし、むろんツングースそのものといった人もいるのだが、しかしこの婦人の容貌ばかりはいかにも日本人といったにおいだった。

むろん、ソ連の人である。

しかし名前は、遠藤玲子といった。

「私にできることがありましたら、して差しあげます」

と、丁寧な日本語でいわれた。

「ハバロフスクに図書館がありますか」

「ございます」

「そこにハバロフに関する書物がありましたら、かれの事歴を調べておいてくださいませんか」

と、頼むと、彼女は夕方までにそれをやっておいてくれた。私のハバロフについての知識の何割かはこの遠藤さんが読んでおいてくれた内容に負っている。

遠藤さんの存在は、私の気分をくつろげてくれた。元来、日本人は、先祖から住んできたいくつかの島に黒い頭をアリのように寄せて暮らしていて、容易に外国人になりたがらない民族だと思っていたが、彼女は悠然としてソ連の役人としてカウンターにすわっているのである。しかも、戦前の日本女子大の学生のような言葉をつかう。

「おまえは、どちらですか」

「樺太でございます」

樺太をカラフトといったのは、そのように戦前の日本領時代の呼称でいわなければ私に通じないと思ったのか。ところが日本も戦後三十年ちかく経ち、いまではサハリンのほうが通じやすくなっているのである。

父君は樺太で新聞記者をされていたが、敗戦の直前に故郷の福島県に用があって帰り、そこで急死されたという。そのあと敗戦で、残された家族のひとは難渋されたにちがいない。

詮索するようだが、御亭主はロシア人だろうかと思ってそうきくと、心外といったような表情で、日本のうまれでございますよ、といわれた。日本人だという。御亭主はモスクワ放送局のハバロフスク支部につとめられていて日本語資料の翻訳をしておられるということだった。

街を歩きながら、このハバロフスクの通訳長のチュートリンさんに、どうも淋しい町だな、というと、かれはむきになって、

「そんなことはない。大変いい町です」

と、いった。

その理由が、おかしかった。ソ連は広大で、地域によってはひどく遅れた新聞を読まざるをえないのだが、このハバロフスクの市民はモスクワ市民よりも何時間か早く『イズヴェスチャ』を読むという。発行部数五百万といわれるこのソ連政府の機関紙は、モスクワでその日の紙面を写真にとると、そのまま人工衛星でこのハバロフスクに電送する。モスクワとこの街の時差が七時間だから、市民たちは朝のうちに読むことになる、という。『プラウダ』の場合も、おなじであ

　「だから、ハバロフスクの市民は、ニュースを早く知っているのです」

　と、チュートリン氏はいった。だからこの街は淋しくないのだ、という感覚は愉快だし、それでいいじゃないかという気も、当方なりに、するのである。

　街を歩いていても、酒場などはない。ちょっと腰をおろすカフェテラスのようなものもなかった。

　仕方がないから、ふたたびアムール川の河畔までくだってゆき、ひとびとが水泳をするのをながめた。ひまつぶしにこまると、人間というのはつい人間を見物してしまうらしい。泳いでいるひとびとを、岸辺でおおぜいの男女が見物している。その男女を私が見物してしまっている。どの男女も、色の派手な衣服を肥った体に着けていた。生地は質素なようだが、色彩ばかり思いきった原色が多いというのは、地味なこの国にあっては、そういう色彩が、着ている者にとっても、見ている者にとっても、無意識の娯楽になっているのにちがいない。

　河畔から離れると、小山のようになった自然の土堤がある。そこが児童遊園地になっていて、カラカサの化け物のようなものが旋回していた。

　カラカサの放射状の骨のさきに、数多くのブランコがぶらさがっている。

　（これにでも乗るか）

　所在なさにそう思い、子供ばかりの長い行列のうしろについてキップを買った。やがてブラン

コに乗った。カラカサが轟然とまわりはじめ、足もとの草がどんどん後方へ飛んでゆく。乗っていてちょっとこわくなったが、途中で跳びおりるわけにもゆかず、ソ連の子供と一緒にこの痛烈な遠心力運動に身をまかせた。そういう私を、ひまそうな鳥打帽の初老の男が、ぼんやり柵に寄りかかって見ている。その男にとって私が娯楽対象になっている。ハバロフスクはそういう町であった。

イルクーツクへ

校倉を思はせる
イルクーツクの窓のひくい街
頭

イルクーツクへ

　ソ連は旅行者に対して、よほど嗜虐趣味があるのかもしれない。

　われわれはモンゴル高原へゆく。いきなり直行することができず、ソ連における二つの関所を通過しなければならない。すでに経たハバロフスクと、いまからゆくイルクーツクが、それである。この二つの都市は、旅行者にとって、都市という実感ではなく、印象を整理すれば関所という実感しか残らない。

　ハバロフスク関所の飛行場では、ぶじ飛行機に乗れた。ほぼ定刻だった。ソ連で定刻に飛行機に乗れるというのは、わりあい幸運に属するだろう。帰路などはイルクーツクの関所で八時間以上待たされ、それも、なぜ待たされているのかという理由さえ説明されなかった。隠忍自重がソ連旅行の心得だときいていたが、べつに事あたらしく覚悟などする必要はない。交通機関に群れているありとあらゆるソ連人乗客がみな重苦しいばかりに従順で、舌打ちひとつする者もないために、自然こちらが同化し、かれらと同質の従順さを身につけ、不平など言う気もおこらず、腹

もたたなくなるのである。

この点、人間はシマウマと同様、群れの動物だということが、われながら、滑稽なほどの実感でわかった。圧倒的多数の既成の群れの中に、少数という受身の立場で新入りするとき、群れの磁場の中で磁気を受け、群れに共通する法則だけでなく、いつのまにか呼吸のしかたまで身につけてしまう習性があるらしい。

機内に入れたのはほぼ定刻だったが、しかし飛行機は容易に動かなかった。一時間、待たせた。

その間、先方から説明があるわけでもなく、乗客から苦情が出るわけでもない。

機内には、私どものほか、日本人はいない。国内旅行者ばかりだが、着飾った人はおらず、骨格、顔つき、服装からみて、現場のにおいを体中から蒸れさせている労働者ふうの人が多かった。

どこか、発電所の工事現場へでも運ばれてゆくのだろうか、と想像したりした。ソ連は、官吏の国である。

「有司専制」

という言葉が、明治十年代までの日本で流行した。在野の批判勢力が政府を攻撃するときの言葉だが、有司とはいうまでもなく官吏である。明治初期国家は、官吏の専制下でかぼそい資本主義が育成されたが、革命後五十年経つとはいえ、ソ連の場合、その点ではやや似ているかもしれない。空港の長は、官吏として乗客の労働者よりエライであろうし、パイロットも、あるいはこの機内のいかなる乗客よりもエライのではないか。日本に国鉄ができた当座、国鉄職員は官吏とし

て金モールの入った官服を着、海軍士官のように短剣を吊っていて、新橋駅から乗ってくる乗客どもを下郎としてさげすむ風があった。ソ連の場合、社会主義国である以上、むろんそれほどであるはずがない。しかしひるがえってみると、高官である空港関係官の気持がわからぬでもない。乗客どもの神経を労わるところまで、気持がむいてゆくはずがないと思えるのである。

禁煙のサインが出ている。

飛びあがっても、消えない。イルクーツクまで三時間の飛行中、快晴で揺れることもなかったのだが、ついに禁煙のサインは点灯しっぱなしだった。

飛行中、無愛想なスチュワーデスが巡回してくる。タバコはもういいか、ときくと、彼女はじっと私を見、看守のような表情で、ニェット、といった。タバコを喫えば飛行機が燃え落ちる、とでも思っていそうなほどに固い表情だった。

私の横に皮膚の黄色い筋肉質の少年がすわっている。

労働者なのか学生なのかよくわからないが、人種はわれわれと同じモンゴロイドであることは間違いない。

その少年が、意外にも日本語で話しかけてきた。日本人か、と訊く。そうだと答えると、プイと横をむく。怒っている様子でもないのに、全体がくにゃくにゃして、一種不貞くされたような感じである。はずかしがっているのだと私は思った。過度な含差（がんしゅう）というのは日本の少年をもふく

め、アジアのどの民族の少年たちにも共通したものだが、この少年の場合、それが不貞くされの感じになってあらわれているらしい。

（モンゴル人ではなさそうだ）

と、何となく思った。

アジアのどの民族の子供にも、といったが、ただモンゴル人の場合は遊牧社会という環境のせいか、例外的なほどに含羞がすくない。だから、右の私の尺度は「アジアの米作農業地帯の」というふうに言いかえたほうがいい。

少年は、しなやかな体つきと、漆黒の濃い直毛の頭髪をもっている。後頭部が扁平にそぎ立っている頭の形は日本の王朝時代公家社会で、「冠によく似合う」とよろこばれたかたちで、いまふうにいえば極端な短頭型ということになる。目はほそく、ときに白く光ったりする。いかにも満州・シベリアのツングース人種の典型といった感じである。ただし、日本人にもこれは多いから、

念のため、

「あなたは、日本人ですか」

と、きいてみた。日本人でソ連に帰化した人は、ノモンハン事件の捕虜だけでも相当いるという。私はここ数年、ノモンハン事件について調べているが、何千という数にのぼったらしい。むろん当時のうるさい日本軍のことだから捕虜になる契機は投降ではない。負傷して人事不省におちいってむこう側の手にわたったのだが、この当時、ソ連軍の日本人捕虜に対する待遇はじつにちいっていは帰化をすすめられたらしい。ある人は、騎士道的であったという。

「日本人は繁殖率が高いから、ソ連の娘と結婚してたくさん子供を生んでもらいたい」

と言われたという。白人は人類としてはモンゴロイドより古く、繁殖力が老化しているという説があるそうだが、そういう説なり、実感なりを背景にして言った言葉なのかどうか。ともかくもソ連は当時つねに人手不足で、そのころはすくなくとも人口のふえることが望ましいこととされた。

子供を殖やしてくれ、というこのロシア人の言葉を、私は気に入っている。おそらく唯物論からそういう発想をしたということではあるまい。遠い先祖以来の牧畜社会における実感がこういう言葉になったのであろう。牧畜生産の目的は、羊や馬をふやすことである。繁殖率のいい動物は、当然よろこばれる。日本人は繁殖率がいい。お前たちは殖える種類なんだから、どうだ、ここに住まないか、という調子で帰化を勧誘したあたり、ロシア人の持つ人のよさや気心の大きさが革や枯草のにおいとともに匂ってくるようである。

ロシア人は人間を人間としてみてみたというが、うそである。かつての日本国の支配層がよく言った精神とは要するに偏狭な愛国心にすぎず、人類に共通する普遍性などかけらもなかった。この点、ロシア人の人口をお前の繁殖力で殖やしてくれ、というロシア人の言葉のほうが、精神としても言葉としてもじつに大きい。

もっとも、そのおなじロシア人が、独ソ戦で二千万人が死んだあと、精神がよほど陰惨になったのか、旧満州に乱入して大規模に日本人狩りをし、それを捕虜にして奴隷労働させるという、

古代的な暴挙をやった。ここには前掲のように、人間を輝かしい物と見たおおらかさが皆無になってしまっており、このあたりになると、戦時中、他民族をその本国からつれてきて炭坑で奴隷労働をさせた帝国主義時代の日本と、形態としてはすこしもかわらなかった。

いずれにせよ、この少年が、ひょっとすると、ソ連におけるそういう日本人を父親としているのかもしれず、右のように、念を押してみたのである。

が、少年はかぶりを振った。

かれはときどき、きわめて短い日本語を——東京知っているか、というぐあいに——質問のかたちで使ってくるのだが、ところがこちらが答えると、うなずきもせず、むっとだまってしまう。

要するに、日本語の片ことの幾つかを記憶しているだけで、話を聴きとれるほどには至らないようなのである。

私は学校のころ、ロシア語を一週間に二時間ずつ一年ばかり習ったつもりだが、ほとんど憶えていない。やむなく単語をならべて、君は何系であるかときいてみた。ひょっとすると、黒竜江で漁労をしていた少数民族の出身かとおもったのである。この程度の質問がなかなか通ぜず、少年は不快気にだまりこむのみで閉口した。しかし少年は、含羞のための不快表情である証拠に、こぶしをつきだして菓子を呉れたり、スチュワーデスが運んできた紅茶をとってくれたりして、しぐさで好意を示してくれるのである。やがて、急に顔をあげて、

「朝鮮」

と、いった。目は、前方を見たままである。

朝鮮民族出身のソ連市民の人数は、わりあい多いように思える。ひとびとの多くが、ソ連の市民になったりした。ソ連邦は中心民族である大ロシア人が一億一千余万という人口で、ほかに百ほどの民族を包含する。ソ連市民の人数は、戦前、樺太やシベリアにいたしく、三万人以上の人口をもっている。多くの少数民族のなかには北方諸族のアレウト人のように四百人ほどしかいない民族もいるが、どの表にも、日本人という項はない。居てもよさそうなものだが、われわれはよほど閉鎖的な民族らしい。

「君をナナイ人（黒竜江の少数民族）かと思っていた」

と、私はうろ覚えのロシア語の単語をならべてみたが、どうも通じた様子がなく、かれはチョソン、とのみ繰りかえした。

やがて、昼食が運ばれてきた。ちょっと学校給食に似た内容だが、うまかった。食後、タバコを喫いたくなった。しかし依然として禁煙のサインは消えていない。

「便所で喫えばいい」

と、少年が、右手の親指を立てて、後尾を指さしてくれた。やむなく後尾にむかって歩いた。機内の室内装飾の感じはどこか、軍隊の輸送機のようないかにも実用的な印象をあたえるが、粗雑な感じはしない。便所の扉をあけると、ただの便所であった。灰皿も置かれておらず、喫煙の

設備は一切なかった。無いところを見ると、つまりは、ここで隠れて喫えという意味だったのかと悟った。べつにそれほどまでして喫うほどのこともあるまいと思い、席にもどった。

イルクーツク空港に着いたのは午後六時ごろだったが、まだ真白な夏の雲が輝いていた。

バイカル湖畔のこの人口三十余万のこの町は、シベリアにおける政治・経済の中心地だが、私の好奇心にとっては、かつてこのあたりが原野であったころ、広大な領域に水草を追って移動していたブリャート・モンゴル人に遇うことが出来るだろうかということだった。

元来、モンゴル人は、高原の民族なのである。しかしその一派であるブリャート人は古くからシベリアの低地にもいて、とくにこのバイカル湖畔で遊牧していた。

もっとも湖畔といっても、イルクーツクは湖まで車で二時間ほど離れたところにあり、バイカル湖にそそぐアンガラ川に沿っている。アンガラと言い、バイカルと言いブリャート・モンゴル語である。

イルクーツクは、他のシベリアの古い町と同様、コサックの堡塁から出発した。はるばるシベリアへやってきたコサックの一隊が、ここに堡塁を築いたのは一六五二年というから、日本でいえば徳川四代将軍家綱のころで、由井正雪が反乱をおこして自殺した翌年である。幕府は社会の余計者である浪人対策に手を焼き、さらには切支丹弾圧にも熱中し、鎖国の徹底的実施に懸命になっていた。

イルクーツクにきたコサックの一隊も、ロシア本国からみれば浪人であったであろう。かれら

は原生林を伐りひらき、その丸太を組みあげて塁を築き、家屋もつくった。また森を焼いて農地にし、家畜たちを放って、遊牧した。コサックは農民である部分よりも、牧畜民である性格のほうが濃厚であった。このことが、シベリアの風土にかれらを調和させた。

当時のコサックたちは、このあたりで遊牧していたブリャート・モンゴル人と小気味いいほどに気象が適ったのである。遊牧民は農民にくらべ、気分が開放的で、さらにはたがいに客であって往来することが好きであった。モンゴル人は大地を掘りかえす農民を警戒するが、同業の遊牧民に対しては、基本的な敵対関係はもたない。それに、このあたりは草が多く、土地は広大で、コサックが少々の家畜を持ちこんできたところで、たがいに草地をあらそわねばならぬ必要はなかった。

新入りのコサックたちは、モンゴル人たちの態度にほっとしたであろう。コサックたちはその優勢な火力をもって戦うこともできたが、それをせず、むしろモンゴル人と積極的に接触することによって領域をひろげた。

「ブリャート」

というのは、よくいわれるように、ロシア語の兄弟という意味がある。コサックたちは土着のモンゴル人を兄弟とよんだ。仲よくやってゆくために、おそらく本気で称んだにちがいない。ついにこのよび方が、この一派のモンゴル人の民族名にまでなってしまった。ブリャート人のロシア人好きというのは、はるかな後年、ロシアが革命をおこしたとき、「兄弟」としてこれに追随したという一事でも想像がつく。ブリャート人たちは高原に住む同民族に働きかけ、中国商人を

追い、さらには中国軍隊を追い、ソ連に次いで世界第二番目の社会主義国をモンゴル高原に樹立する契機をつくった。

光太夫

伊勢の船頭大黒屋光太夫が暴風のために漂流をはじめたのは、天明二（一七八二）年十二月である。

かれは紀州藩の回米などを積んで伊勢国白子浦から船出し、駿河湾の沖にさしかかったときに暴風に出遭った。八カ月後に、アレウト列島のアムチトカ島に、かれの乗船の神昌丸が漂着するのである。

アレウト列島とは、アラスカの南端からカムチャツカ半島にむかって弧をなしている列島で、その列島のなかに、太平洋戦争で有名になったキスカ島やアッツがある。アムチトカ島は、その付近にある。光太夫らはこの島に四年間いて、あとはシベリアを経て露都ペテルスブルグまでゆく。

『北槎聞略』という書物は光太夫が帰国してのち、幕府の蘭学者桂川甫周が光太夫からその見聞を書きとめ

たもので、明治後、新村出氏ら日本側にもソ連側にも研究者が多い。亀井高孝氏がこれを校訂され、さらに『大黒屋光太夫』（吉川弘文館刊）を書かれた。光太夫の人間とその一行の海上漂流とロシアにおける漂泊については、井上靖氏の『おろしや国酔夢譚』によってひろく知られた。

『北槎聞略』のほかに、篠本廉が光太夫の談話を書きとった『北槎異聞』がある。この書物に、シベリアの地理や少数民族のことがすこし出ている。

光太夫は、十七人で漂流した。途中、次第に病死者が出る。かれとその一行はアムチトカ島で四年間いたが、そこで船をつくり、厳冬のカムチャッカ半島に渡った。このカムチャッカで、たまたま来ていたフランスの探険家でジャン・バッティスト・レセップスに会う。スエズ運河を開鑿したレセップスのおじである。

レセップスはその後、『レセップス旅行日記』にかれがはじめて見た日本人について、くわしい印象を書いている。亀井高孝氏の訳から抄出すると、光太夫の容貌は、「その目はシナ人のそれのように吊りあがってはいない。鼻は長く、ひげはしばしば削っていた」という。人柄については、

「敏捷活発な精神とやさしい性質」

という印象をうけた。日本人の漂流船員は光太夫ほか八人いた。八人の船員は光太夫に対し、特別な愛着と尊敬の念をもっていて、光太夫が病気だったり心配そうな様子が見えると、皆がひどく心を痛め、不安な情を示した、という。このことは、光太夫が船頭という身分上の優越した立場にいるためでなく、その人柄によるものだ、とレセップスは書いている。さらにレセップス

の見たところによると、光太夫は、

「見たもの、発生した事柄などのすべてに対し、正確な日記をつけていた。かれはその面前で起り、また語られる事柄に注意し、忘れないよう、すぐノートに書きとめた。かれはその思うことを人にわからせるだけのロシア語を話す」

と、レセップスはいう。この光太夫の綿密さが、やがては、当時のロシア事情を知るための貴重な文献になった『北槎聞略』その他の収穫になるのである。

イルクーツクに着いたとき、空港から市内に入るバスの中で、ふと光太夫のことを思った。光太夫はロシアにおいてはこの町にもっとも縁が深かった。

光太夫は、カムチャッカからオホーツク、ヤクーツクを経てイルクーツクに入ったが、かれがイルクーツクに入ったのは、駿河湾で漂流してから七年目であった。

『北槎異聞』のきき手の篠本廉は、

「オホーツクからヤクーツク、ヤクーツクを経、イルクーツクにいたるまでのことをききたい。旅籠屋（はたご）などのようなものはあったか」

という意味の質問をする。

光太夫は、そういうものはない、という意味のことを答え、

「途中、ずっと平たい土地がつづいていて、高山というものがない。地広く、人稀である。民家

はない。たまに民家があっても、トグス、ブラッケなどという別種の夷の家である」

といった。光太夫のいうトグスとは、いまでいうツングースであろう。ブラッケとはブリャー

ト人のことだろうか。

それらの家は帳幕のようなもので、光太夫の目からみれば家とは思えなかったらしい。

「立ち寄りて飲食すべき家なく、茶店などと云もの曾てなし。……イルクーツク（光太夫は、イル

コッカといっている）より王都までの間は、駅館もありて、路もまたよし」

という。イルクーツク以東はシベリアの曠野で、当時、この町がロシア文明圏の東限だったこ

とがわかる。イルクーツクより西は道路もとのい、駅館もある、というのは、光太夫がこの町

へ来る十数年前に完成した大陸横断道路をさすのにちがいない。

もっとも、シベリアはすでにロシア領になっていた。シベリアどころか、光太夫らが最初に打

ちあげられたアレウト列島のアムチトカ島でさえ、ロシア人がいた。帝政ロシアのシベリア征服

の尖兵だった毛皮商人が、この島にすでに入りこんでいて、原住民を支配し、かれらに走獣をと

らせ、奴隷のように酷使していた。光太夫は、寝入っている酋長の娘が、二人のロシア人のため

に動物のように締め殺されるという凄惨な現場を目撃している。当時のロシア人だけがわるいの

ではない。世界的傾向として、未開地の原住民が、白人から鳥獣同然にあつかわれていたのであ

る。

光太夫らがイルクーツクに入ったのは一七八九年だから、この町がコサックの手で建設されて

から百三十七年経っている。現存するスパスカヤ寺院もすでに建っていたし、家の数は三千戸ほ
どもあった。さらにはシベリア総督府の所在地で、光太夫が入ったのは二月だから、雪の街路を
馬橇でゆく軍人、官吏の姿も多かったであろう。

学校も多かった。航海学校もあった。校舎は、アンガラ川の河畔にあったはずである。この航
海学校は開校二十五年を経て、相当充実した学校になっていたように思える。

イルクーツクはむろん海から遠い。この内陸の町に航海学校があったというのは一見奇異な感
があるが、極東の海へ出たいという帝政ロシアの本能にちかい継続的政策のあらわれであった。
アンガラ川に木造の大きな帆船をうかべれば、操帆練習は出来る。航海練習は川をくだってバイ
カル湖に入れば十分できたであろう。

──われわれは東の海へゆくのだ。

というのが、かれら船乗りの卵たちの合言葉であったにちがいなかった。イルクーツク航海学
校というのは、ロシアの東の海の夢を結晶にしたような存在だったに相違ない。

もっとも、イルクーツク航海学校が出来る半世紀前に、ロシアの冒険的な航海家が、北太平洋
から日本近海に出かけていた。

ロシアの場合、海よりも、陸路による東漸のほうが早かった。コサックたちが堡塁をつくって
は原住民を惨殺しつつ押し進み、ついにオホーツク海に達したのは一六三八年である。海へ押し
出すことは、ずっと遅れた。一七二八年にベーリングが、北太平洋探険隊を組織し、ベーリング

海峡を通過した。かれはデンマーク人だが、雇傭主は、ロシア皇帝だった。ベーリングの配下の
スパンベルグ中佐はさらに南下し、一七三九（元文四）年、日本の沿岸を、ロシア帝国の官憲とし
ては最初に望見している。このときスパンベルグ中佐は奥州牡鹿郡のころで、まさに鎖国下の泰平の絶頂とも
いうべき時代であった。日本側でいえば八代将軍吉宗のころで、まさに鎖国下の泰平の絶頂とも
けた。この間、僚船のワルトン大尉の船が大風に遭い、房総半島まで流されて、そこで同様、漁
村の者から薪水（しんすい）の補給をうけた。

この二隻の露船の接岸という事実は、日本の要路の者の強迫観念を刺激し、とくに鎖国下の憂
国的な海防論者たちに対し、その後長期にわたり、暗い刺激をあたえつづけるのだが、一方、ロ
シアにあってはこれは朗報であった。このあかるい刺激のもとに、イルクーツクにおいて、ロシ
アの東への意志のあらわれである航海学校がひらかれるということになるのである。東への意志
というのは、具体的にいえば日本へという要素も入っていた。ロシアはこの時期において、早く
も日本が視野のなかにうかんでいた。

鎖国の政権下の民である光太夫らは、そういうふしぎな町にまぎれこんだことになる。
かれらがこの町でシベリア総督から勧められたことは、ぜひ帰化せよ、できれば日本語学校の
教師になってほしい、ということだった。ところが光太夫らは、それどころでなかった。自分たちを帰国させるだけの権限
帰国したかった。すべての願望も情熱も帰国するという一目的に集中していた。かれらがカムチ
ャッカ半島の東方の小島から生死を賭けてシベリアに渡ったのも、シベリアの町から町へ移動し
てはるばるイルクーツクにきたのも、好奇心のためではない。自分たちを帰国させるだけの権限

をもった役人に会いたいがためであった。かれらはついにその目的のために首都ペテルスブルグ
へゆき、女帝エカテリーナ二世に拝謁するところまで、いわば突き進んでゆくのである。

　シベリア総督が光太夫らの帰国志望を無視し、帰化せよ、日本語教師になれ、といったのには、
堅牢な背景がある。光太夫らがこの町に入るより八十年前に、首都に勅命による日本語学校が創
立された。カムチャッカに漂着してただ一人生き残った大坂の船乗りでデンベイ（伝兵衛？）とい
うのが、教師だった。最初にペテルスブルグで教えられた日本語が大阪弁だったことが、この事
態のなかで唯一のユーモアである。

　その後、ゴンザ（権左？）とソーザ（宗左？）という薩摩の船乗りがそのあとを継いだ。
おそらく薩摩弁を教えたであろう。またイルクーツクにも日本の漂流民が教師になって国立日本
語学校が設けられていたが、かれらが死んだために閉鎖された。総督はそれを再興するつもりだ
った。

　これらの日本語学校は、日本の国情研究と日本語通訳の養成にある。通訳を養成したところで、
いつその通訳が国家の役に立つときが来るのか見当もつかない時期に、ロシアはすでにこのこと
を国家の意志としてやり、その意志を忘れることなく持続し、光太夫がイルクーツクにやってき
たのを幸い、日本語学校を再開しようとするのである。この一事をみても、ロシア国家というも
のが、日本的規模からみればいかに雄大ななにごとかを持った国であるかがわかる。
　教師になることは、むろん官史になることだが、総督府の役人は昇進もできるのだ、などと、

よほどくどく説いたらしい。　光太夫らは断わり、ひたすら帰国したい旨嘆願しつづけ、ついに女帝に拝謁することも許され、　帰国の望みもかなえられる。

バスがイルクーツクの町に入ると、　道が濡れていた。　いつのまにか小雨が降っていて、　黒ずんだ石造の建物によく似合った。

光太夫らはまだ堡塁のにおいをとどめていた頃のこの町に一年ほど滞留していた。　そのあいだも、仲間が病死した。　漂流したときに十七人だった人数が、五人になっていた。

かれらは、ロシアにおいて言いがたい艱難を舐めたとはいえ、その多くは冬の自然の酷烈さと、帰国の望みがかなえられないというつらさがおもで、ひとびとの同情や敬愛を豊かに受けたという点では、　光太夫に関する書物を読んでいて、　しばしば涙ぐまねばならぬほどである。

ロシア人の親切さや人のよさは、　ときに神に近いような気さえする。　光太夫らのいのちも運命も、　土地のひとびとの親切さで保護されていたようなものだった。

そのころイルクーツクに居住していたアカデミー会員のキリル教授の夫妻が、その代表的な存在かもしれない。　もっともキリルはすでにシベリアの自然界を研究しており、さらにできれば日本の動植物、鉱物などの採集をしたいという野望をもっていたから、そういうつもりもあったであろう。　しかしそれだけでは、　キリル夫妻の異常な親切というのは解釈しきれず、　要するに他人の不幸に対する憐れみの情が、　固有に深いのである。

女帝エカテリーナ二世も、　そうだった。　彼女は伝統的政策である東漸の推進者ではあったが、

光太夫の不幸に対する憐憫の情とは別のものだといっていい。彼女は光太夫の口から身の上話をきき、同情のあまり、何度も声をあげて、可哀そうに、とつぶやき、顔を曇らせる。当時の日本の将軍や大名に、人の不幸についてこれだけの情感をもつ者がいたかどうか。そのほか、光太夫の気の毒な身の上話をきいて詩をつくるほどの者もあった。これが民謡になってたちまち民間にひろがった。いまもこの歌は原形がわからぬほどに歌詞が変ってしまっているとはいえ、なおも民謡として生きているというから、エカテリーナ二世の情感は、同時にロシアの庶民にも共通する人情だったにちがいない。

イルクーツクの町は郊外に団地などができてこんにち風になっているが、町中に入ると、丸木造りのロシア風の木造民家などが多く残っていて、古格なおもかげがある。この町の印象は、光太夫の話を思いだすたびに、ひどく透明なものになる。

モンゴル領事館

モンゴル人民共和国というのは、低湿なシベリアとはちがい、平均標高一五八〇メートルとい

う大高原に位置を占めている。

シベリアからその高原に飛び立つには、イルクーツクで入国査証（ヴィザ）をもらわねばならない。入国査証は、イルクーツクのモンゴル領事館が発行する。

ところが、その領事館がいったいどこにあるのか。

それよりも、私どもがイルクーツクのホテルに入ったのは飛行機が遅れたためにすでに夜七時すぎになっていた。領事館はとっくに閉っているはずであり、こういう場合、どうなるのか。

さらには予定では、私どもは明朝十時発の飛行機に乗ることになっている。ソ連旅行には国すればむろん密入国でつかまってしまうのだが、いったいどうすればよいのか。入国査証なしで入この種のパズルのような課題に遭遇することが多いときいていたが、この場合ばかりは解きがたいパズルのように思われた。

私どもは日本交通公社に手続だけをたのみ、それだけでやってきた。社会主義国の旅行は招待でなければ厄介なことが多いときいていたが、そういう恩恵には浴していない。また商社や新聞社なら駐在員がいてこの種の隘路（あいろ）の打開に役立ってくれるが、新聞社の伝手（つて）をあらかじめ用意しておかなかったために、いわば素浪人の旅行になった。

「バイカル湖で鱒（ます）を釣る会」

という日本人旅行団がどっと入ってきて、やがて添乗さんの指揮で整然と部屋部屋に吸いこまれていった。また「シベリア墓参の会」という、函館で募集された百人以上の日本人観光団もホ

テルに入っていて、これまた添乗さんの指揮のもとに大食堂へ入ってゆく。ソ連旅行はやはり、そういう専門の旅行社がやる団体旅行が無難でいい。

私どもは、心もとなかった。

たとえばホテルに入ってフロントに出頭すると、フロントのおばさんから、

「あなたたちは、このホテルに泊まることができるが、食事をすることはできない」

と、宣告されてしまったりした。私どもが差し出したクーポン券のなかに、宿泊のクーポンはたしかにある。彼女はそれをめくってみて、

「しかし食事のクーポンがない」

というのである。どうやら前夜のハバロフスクのホテルでまちがってそのぶんまで差し出してしまったのか、それとも最初から無かったのか、どうも不馴れだから見当がつかない。

まあ一食ぐらい餓えてもいいと覚悟したが、問題はモンゴル人民共和国に入るためのヴィザだった。モンゴル領事館に電話をしたいと思ったが、番号がわからない。周知のように、ソ連には電話帳というものがない。

「当市のモンゴル領事館の電話は何番か」

と、フロントのおばさんにきいてみたが、知らない、とにべもなかった。

フロントの横にドアがあり、そのドアを押すと、そこが、インツーリストのガイドの詰所になっている。その詰所には日本語ガイドもいるはずだが、団体優先のために出払ってしまっている

のか、英語圏のひとびとを相手のガイドが、それも学生アルバイトが、一人残っているだけだっ
た。かれに私どもの窮状を何とか救ってもらえないかと頼んだが、この英語修業中の学生は当然
ながらそういう力は持っていなかった。

もっとも、たとえ電話番号がわかったところで、この時間では領事館に人は残ってないだろう
と思われた。

弱ってしまった。

ヴィザが貰えなければ、あすもこのホテルで滞在するほかがないが、そのためには滞在のための
手続をあらためてソ連の役所を相手にせねばならず、それをしなければ、イルクーツクで雨露を
凌ぐ宿もなくなってしまうのである。場合によっては不法滞在者としてそのための収容所に入れ
られることもありうるわけで、この窮状から抜け出すには、なんとかモンゴル領事館の館員に会
うしかない。が、時間から考えて、会えるかどうか。

私は、冷たいリノリューム敷きのロビィの隅で、考えこんでしまった。窮余の一策があるとす
れば、私が昔いた新聞社のモスクワ支局を呼び出すことだった。そこに、K君という特派員がい
る。かれに電話をして何らかの力を借りようと考えたが、しかし同市内のモンゴル領事館の電話
番号さえわかりにくいのに、モスクワという飛行機で六時間むこうの新聞社の支局の電話番号を
このホテルできくことは、さらに困難なようにも思った。

取材旅行は旅行や取材の方法を確立してから出発すべきものだが、このたびはどうも卒爾(そつじ)に出

発してしまって、この場になって後悔した。

夜八時になった。

この町のどこにモンゴル領事館があるのかわからないが、ともかくも行ってみようと思った。

普通の場合、タクシーを呼べば済む。しかしソ連でタクシーを呼ぶとなると、二時間はかかるのである。

ここで、幸運にめぐりあった。

さきに新潟空港で出遭った難波康訓氏が、偶然、宿所がこのホテルだったのである。かれは食事にゆく途中、私の当惑を遠目で見たらしく、寄ってきて、

——なにか、役に立ってあげてもいい。

という意味のことをいってあげてくれた。三十年前、初年兵のときに一緒だったことが、こういう縁になって生きて迫って来ようとは思いもよらなかった。商社の輸出部長であるかれは、このイルクーツクでひらかれている見本市を視察にきており、二人の若い社員を帯同している。若い社員は東京と大阪の外語大を出た人で、そのうちの一人はロシア語科の出身だった。三宅さんといった。三宅さんは一カ月前からこの町に滞在しており、毎朝、町を散歩していてほぼ地理は心得ているという。

「モンゴル領事館なら記憶があります。鉄の柵にモンゴルの国章が大きく打ちつけてあります。一緒に行ってあげましょう」

といってくれた。

私は、ビニールの婦人用の傘をさして、ホテルの玄関を出た。

楢松源一先生は、大阪外語大のモンゴル語科の名誉教授である。私の恩師で、こんどモンゴルにゆくとき、そのことを話すと、自分も行こう、と望外なことをいってくれた。

楢松先生は、ここ十年ほど日蒙辞典の編纂に没頭している。そのこともある、あたらしい単語を採集するために行ってもいい、ということだった。もう七十を越えておられるが、体のことなら大丈夫です、あなたより達者ですよ、という。先生は、小柄である。顔つきも体つきも、私が十八歳のときにはじめて拝顔した日の印象とすこしも変っておられない。

この楢松先生と一緒に、雨のイルクーツクの街路に出た。このあたり、妙なぐあいといわねばならない。というのは、私どもの青春はろくなことがなく、学徒出陣というものにひっかかって仮卒業させられた。この先生と別れるとき、生きて二度と会えるとは思わなかった。そのあと戦車の戦闘技術を教える兵営に入れられたとき、その兵庫県の加古川の上流の山の中の寒い兵営で一緒になったのが、この窮状を救ってくれた難波康訓という偶会の人だった。青春の淡い残像が、変なぐあいだが、実像としてよみがえってきて、思いもかけず、イルクーツクの暗い歩道を歩いている。

街に、灯がすくない。たださえ黒っぽい建物の多い街が、夜雨のために、濡れたタイヤのような色になっている。古びてところどころ、へこんでいる歩道の石畳に雨がたまり、街路も建物も、

足を突っこむと水が持ちあがって靴の中まで浸した。溜まっている雨水に、乏しい街の灯が映っていた。そのぶんだけ灯の数がふえているようで有難くもあったが、しかし水に映っている灯というのはつまりは虚であるだけに、なにか時間のもつ儚さを感じさせてしまうようでもある。

「こうして歩いていると、ハルビンに似ていますね」

「ああ、そうかね」

楮松教授は水溜まりにしばしば靴を突っこんだ。夜目がにがてらしいのである。

ロシアの人の作った街というのは、似てしまうものらしい。私のハルビンの記憶はあやしい。旧満州の四平街にあった戦車の学校を出て東満の国境付近に──物のように──配給されるために鉄道に乗り、途中、この高名な街で一泊した。ヤマト・ホテルに泊まったが、夜になってホテルを出、知人の家をさがすためにキタイスカヤの街路を一人で歩いた。そのときも街は暗く、星あかりで歩道の坂をのぼってゆくような感じで、記憶といえばその暗い坂しかない。

その夢の中のキタイスカヤの坂を、いまもひきつづき歩いているようで、気味がわるいほどだった。心細さという、鼻腔の奥の粘膜に突きあがってくるにおいまで似ていた。

西も東もわからないが、二十五分ばかり歩いてゆくと、左側に鉄柵があらわれた。鉄柵でかこわれた低い建物の階下に灯がついている。紋章がみえた。モンゴリアというロシア文字が、紋章を包んでいた。

「……灯がついているというのは」

だれか居る証拠ですな、若い三宅さんがほっとしたようにいった。すでに九時近くになっている。

門は閉じている。領事館の鉄柵に沿って、ソ連の警官のボックスがあり、領事館を保護、もしくは監視している。三人詰めていて、三人とも大きな雨外套を着ていた。三宅さんがその一人のそばに寄って行って、この領事館に用があるのだが、と流暢にいった。

「残念だが、領事は留守だ」

と、背の高い警官がいった。一週間ほど前にウランバートルへ帰った、というのである。さすがに消息はよく知っている。

「その次の人はいるだろう」

三宅さんは、大男を見あげながらいった。

「居ない。今夜は遠い所へ行っている」

「では、その次の人に会いたい」

「領事館員は、それだけだ」

と、警官は、われわれの切羽詰まっているような様子を見て何か察したのか、気の毒そうに肩をすくめた。もともと領事と副領事しかいない、というのである。

「しかし、灯がついているじゃないか」

と、三宅さんが詰め寄ると、警官はかぶりを振った。

「あれは内装工事をしている工事人の灯だ」

さすがにソ連の警察は大した事情通だとおもった。警官は親切な男で、しかし運転手はいる、もうかれのアパートに帰ってしまっているが、何ならそのアパートへ案内してやってもいい、といってくれた。

われわれはその警官に引率されて、さらに似たような歩道を歩いた。雨はやんだが、風が出ている。横丁に入り、街路樹のオーロ（ポプラの一種）の下を通ると、樹が身ぶるいしたように下露をふりおとしてきた。ヒマラヤ杉に似た樹の枝が大きく垂れさがっているむこうに、四階建のアパートの窓の灯がみえた。その窓の灯だけを頼りに、足をおろす地面を見つけてゆかねばならない。警官が、アパートへ入って行った。

やがて、背の高い東洋人の黒い影が傘をさし、水溜まりを避けながらやってきた。影は、がに股で、いかにも馬に乗った経験のありそうな体つきだった。暗くて顔まではわからないが、壮漢は、自分はスーレンという者で、領事館の運転手だ、といった。

小柄な楠松教授は、その影にむかって飛びつくようにして、自分たちはこういう者だ、きょう遅く着いたので入国査証が貰えずにこまっている、なんとかならないか、と早口のモンゴル語でいった。このひと独特の、薩摩弁の抑揚の入ったモンゴル語が変に懐かしかった。

「話は、きいている」

と、スーレンはいった。モンゴル人の物知りは日本のモンゴル研究者の名前なら、たいてい何人かを挙げることができる。服部四郎、岩村忍、小林高四郎、村上正二、護雅夫、楠松源一、坂

本是忠、小沢重男、田中克彦……。運転手はあなたはアベマツ先生か、と、たしかめるように言い、バクシの手を握った。

「入国査証、大丈夫です」

と、運転手は、領事代理のような頼もしい口調でうなずき、私が皆さんのパスポートをあずかっておきましょう、といった。明朝、飛行場へゆく前に領事館に立ち寄られよ、スタンプを押しておく、と言い、かれは手渡されたパスポートを、無造作に上衣のポケットの中に突っこんだ。

やや不安だったが、しかしモンゴルは大らかな国で、運転手でもときに領事館事務をやるのだろうと思い、強いて安心することにした。事実、この一件はうまくいった。

ブリャートの娘

入国査証の一件がどうやら片づいたので、ホテルにもどる帰路、町をながめるだけのゆとりができた。

イルクーツク。

「シベリアのパリ」

と、革命前、半ば捨て鉢な調子でこうよばれた帝政ロシア的な猥雑なにぎわいは、むろん、いまはどこにも見られない。帝政時代の末期、この町はアメリカの西部の開拓時代の町のような活気に満ちていたらしい。それまでのイルクーツクは官庁の建物がめだつだけの静かなシベリアの行政と経済の中心地だったが、十九世紀の前半、東部シベリアに金鉱が発見されてから、この町にゴールド・ラッシュが訪れた。

ロシア人の金の採掘者が根城をかまえている。その金を密輸しようとする清国人たちが裏町にチャイナ・タウンを営み、これら黄金と毛皮で儲けたあやしげな紳士たちの社交場が栄え、裏町の路上を流刑囚者や前科者が靴音を忍ばせて歩いている。売春婦、酔っぱらい、そして追いはぎがイルクーツクの名物で、警察はあって無いような存在だったらしい。『大いなる海へ・シベリア鉄道建設史』（ハーマン・トッパー著。鈴木主税訳。フジ出版社刊）によると、追いはぎの武器というのは短い棒と、短いナワだった。めあての犠牲者の背後から忍びよって頸にナワをかけ、締めあげて殺してしまう。当時のこの町の追いはぎは脅迫などという面倒な手続を踏まず、いきなり殺してしまうのである。

冬の追いはぎは、馬橇に乗っている。橇を路傍にとめて、一人歩きの通行人を待つ。めぼしい通行人がくると、カウボーイのように投げナワで相手の頸をひっかけ、そのあと全速力で橇を走らせ、人通りのない所へきてから、橇を降りて、相手の死体から貴重品、衣服、旅券を盗む。

清国人の多くはおもに裏通りに住んで、表むきは茶の輸入商ということだったらしい。その実、裏で金の密輸出をし、産をなす者が多かった。

　清国人は、同族の死者に対して鄭重であった。かれらのあるグループは、死体を故郷の山に葬るべく、防腐処理をする。脳は腐りやすいため抜きとってしまうのだが、どういう方法でか、顔だけは損わずにしておく。死者に対するこの手厚さは、じつは死体そのものを密輸用の容器にするためだったといわれる。鼻の孔に管をさしこみ、その管を通して金粉を頭蓋骨のなかにそそぎこむのである。この胸の悪くなるような話は、十九世紀のイルクーツクがどういう町であったか——また中国商人とはどういうものだったか——をよく象徴している。

　その後、わずか百年後のイルクーツクで、こういう情景は想像もできない。古典的な自動車をよく洗い清めたようなこの町で、われわれのように夜間、淋しい街路を歩いていても、身辺の危険などいっさいない。密輸業者どころか中国人そのものまで消えてしまっており、十九世紀のイルクーツク名物だった賭場もなく、酒場もなく、この整然たる社会主義体制のなかでは追いはぎの出るすき間もない。中国が革命を必要としたのは、国家が民衆の暮らしのすみずみまで面倒をみるという体制でなくてはどうにもならなかったように、ロシアもまた、もし革命がなかったなら、自制力を喪った社会そのものが魔窟のようになってしまっていたに相違ない。

　ホテルにもどると、よほど遅くなっていたが、難波康訓氏が食事をせずに食堂の食卓に着いたまま待っていてくれた。私どもにクーポンの食券がないという事情を耳にしていて、かれのほうで用意してくれたのである。一飯の恩義にあずかるようで、恐縮した。

「シベリア流浪という感じだな」

と、私は恐縮の体を示すかわりに自分の赤毛布ぶりを自嘲してみせたが、難波氏は笑わない。

笑えば失礼になるという行きとどいた神経をもっている。

食堂のはしには、日本人の団体五十人ばかりが景気よく歌を合唱していて、その声が、われわれの会話をとぎれさせた。例の「バイカル湖で鱒を釣る会」の連中らしく、みなレジャー焼けして若々しい。騒々しくて傍若無人であっても卑猥とまでゆかないのには、多少ほっとした。

ようやく部屋に入った。浴室とトイレの装置をためしてみると、幸い、ハバロフスクでの部屋のようには故障していなかった。ただ掃除された形跡がまったくなく、先客の黄色い排泄物が白いホーロー製の便器にたっぷり付着していて、新入者に対して無言の脅迫をしているようでもあった。

浴槽を点検してみると、兵器にでもなりそうなほどがっしりした鉄製ホーローびきのしろものだが、ただ使用したあとの黒ずんだアカがふちに何条もついていて、すでに乾いている。指でこすると、ボロボロと落ちてゆくのである。まず便器を掃除した。次いで浴槽を石ケンで洗った。

そのあと、須田画伯の様子が気になって、部屋を訪ねてみた。この人は、入国査証の騒ぎは知らないはずだった。

須田さんは小さなイスに腰をおろして、閑寂な顔をしていた。ソバをすすっている。中身をみ

ると、インスタント・ラーメンである。

「おや、食事が当らなかったのですか」

ときくと、いや私は食べました、と画伯はいった。食堂ですわっていると、ちゃんと出てきました、という。

「しかしこれを試しているんです。これを十袋」

と、須田さんは十本の指をひろげてみせ、持ってきました、と言い、そのうちの一袋を試しにいま食べているんです、あと九つはモンゴルの包でご馳走してあげます、といった。ソ連にきても、この人の浮世ばなれは続いている。

食堂で酒が飲めるときいていたので、ロビイまで降りた。たまたまそこに、ワーリャが立っていた。

私はこの東洋系の顔をした女子大学生については、ワーリャという名前だという以外、知るところがない。

彼女は、私どもが到着して早々、食べるためのクーポン券やモンゴル政府の入国査証のことでフロントの中年婦人と言いあらそっているとき、おずおずと背後にきて、

「私に何かお役に立つことがありますか」

と、たどたどしい日本語でいったので、何者だろうとふしぎに思った。きくと、極東大学の日本語科の三年生で、この夏、実習を兼ねてこのホテルのインツーリストの事務所に詰めているの

だという。しかし彼女の日本語はわれわれの窮状を理解するには未熟すぎたし、それにまだ学生の身でもあって、解決の方法も力も持っていなかった。

水あめ色の皮膚をもち、背は一七〇センチほどあって、手足が長く、黄色いワンピースがよく似合っていた。まるいヘソパンのような可愛い顔に、近眼鏡をかけている。ひかえ目で、声も、蚊の鳴くように小さく、どうみても日本の娘のようだった。

「お酒ですか」

彼女は大食堂を指さし、あそこだ、というふうに表情で示した。私は、できればついて行ってほしいというと、彼女はいったん尻ごみしたが、やがてさきに立って大食堂にむかった。脚が長いわりには、ひそひそとした歩き方である。

ソ連には、大正期のシベリア出兵のときの捕虜や昭和十四年のノモンハンのときの捕虜のひとびとが、当人たちはそうとは名乗りたがらずに市民生活を送っているときいているが、ワーリャはそういうひとの娘なのか、などと想像をめぐらしたりした。

なるほど、大食堂の一区画が酒場になっていて、バンドの演奏台もある。

（これが、そうか）

と、内心、思いあたることがあった。

かつて帝政末期のイルクーツクを特徴づけていた淫猥な酒場、レストランなどの遊興設備はす

べていまはない。帝政時代のイルクーツクは阿片窟がないだけで、どの酒場も脂のすえたにおい
とタバコの煙が充満し、その中でワルシャワあたりから出稼ぎにくる卑猥な踊り子が酒席まで降
りて練り歩き、客たちは酒を飲むだけでなく、カルタで賭博をし、勝ったほうに踊り子がシャン
ペンをせがむ、といった情景がどこにも見られたというが、革命がそれを一掃した。

たしかにイルクーツクにはその種の遊興場がなくなっているが、ただひとつ、ホテルの食堂が
その系譜をかすかながら引いている、ということは、『大いなる海へ』にも紹介されている。

私がボックスのような所へ腰をおろすと、四、五人のソ連人が一団になって横にすわった。三
十歳ぐらいの下士官、所帯でくたびれたような税関吏風の男、そして職業不明の遊冶郎然とした
セビロ男、といった連中で、いずれも相当酔っている。

かれらの挙動をみていると、どうやらここで酒を飲むだけでなく、旅の外国婦人をハントしよ
うというのが目的らしい。

ワーリャは私の横にすわったが、ひどく迷惑そうで、落ちつかなかった。なるほど大学の女子
学生などが飲み物を飲むような場所ではなさそうだった。

遊冶郎のセビロ男がグラスを持って、私の横へすわった。生っ白い厭味な顔をした男で、よほ
ど飲んでいるのか、目がすわっている。私にしきりに話しかけ、突如笑ったり、かとおもうと、
ポケットをさぐって紙きれがしたりする。

「なにか書きたいのか」

と、日本語で言ってやった。かれはボールペンを呉れ、といったふうに、私の胸を指さした。

ポケットから引きぬいてそれを貸してやると、紙きれに便所の落書のような絵を描いた。かれはその絵をペンでたたき、これがほしいのだ、というふうに胸を圧しつけてくる。そのくせ、ワーリャにじかに迫って行かないところをみると、婦人に対して一応の遠慮は持っているらしい。

ワーリャの表情は、この連中を無視することに馴れているようだった。彼女は、私に、日本語はむずかしいと静かに言って、私はまだ漢字が読めません、といった。

「なぜ、日本語科をえらんだのですか」

ときくと、ごく抽象的に、とても魅力があったから、とだけ答え、しかし父は反対しました、といった。彼女の父親は、日本語はむずかしい、そんな言葉を勉強するのは可哀そうだ、といったという。日本語のむずかしさを知っているとすれば、彼女の父親は、ひょっとすると知的な職業についている人かもしれないと思い、お父さんはどういう職業ですか、ときいてみた。

「農科大学の農業学の教授です」

と、彼女はいった。

（これはどうも、日本人ではなさそうだな）

と思いつつ、お母さんは？ ときいてみた。彼女は、多弁になった。彼女が記憶している日本語の単語には、母親の職業に該当する言葉がなさそうだった。

「家、売ります。わかりますか。家、買います。わかりますか。人、死にます。わかりますか。これ、届けます。わかりますか」

と、いった。どうも公証人のようでもあり、あるいは市役所の職員のようでもあり、いずれにしても多少の法律知識を必要とする職業のように思われた。

やがて彼女は自分はブリャート人だといったとき、私は驚きと、小さなよろこびで、息をのむ思いがした。

ブリャート人はモンゴル人の一派ながら、高原に住むことをせず、シベリアの低湿地で古来、遊牧を営んできたために、シベリアに進出してきたロシア人と濃厚な接触をし、ロシア人のもつ西欧的なものをもっとも早い時期にとり入れた。かれらの知的水準が他のモンゴル人よりも高かったために、高原のモンゴルで革命がおこったとき、その指導者のほとんどがブリャート人だったといわれる。

私は学生のころ、自分勝手にブリャート人のイメージを多くつくっていて、そのイメージをひどく気に入っていた。ところが地上で、こうも簡単にブリャート人に会えようとは思わなかった。

その旨を、出来るだけ言葉をみじかく区切りつつ話した。

さらに、ブリャート語は高原のモンゴル語（ハルハ語）とどの程度ちがうか、ということを彼女にきいてみた。書きいた話では、SがHになりやすいというが、本当ですか、ときいてみると、彼女はとまどったようにだまった。

「たとえば、月は、ハラと言うんでしょう」

と、思いだして質問してみると、彼女はやっとうなずき、ツアガーン（白い）はハガーンです、ハルハ語でバイナ（日本語のです）は、ブリャート語で、ベイナ、です、すこし違います、ともい

った。

「しかし、私は高原のモンゴル語はほとんど知りません。それに日本語の勉強で精一杯ですから」

横からまた、例の酔っぱらいが唸き声で話しかけてきたが、彼女は視線を真っすぐにむけたまま、黙殺した。むかし、ブリャート人の誇りの高さは相当なものだときかされたが、彼女のこういう態度も、あるいはそれと無関係でないのかもしれないと思ったりした。

匈 奴

翌朝、このシベリアの町の空は、雲が厚かった。窓から街路を見おろすと、昨夜の雨の名残りが、白っぽい水溜まりになってのこっている。上質のカーキ色の制服を着た士官学校の生徒らしいのが三十人ばかり、勤労奉仕なのか、街路の掃除をしていた。あまりうれしい仕事ではないらしく、嬉々としてやっているという感じではない。

（さて。──）

と、気分が重かった。はたしてモンゴルへ飛び立てるかどうか。

ハバロフスクやイルクーツクの空港で見たかぎりではシベリアの空を飛んでいる旅客機の多くは昔の爆撃機のように操縦室が全体に風防ガラスになっている。それからみてもどうも有視界飛行である場合が多いらしく、要するに操縦室から見おろして地上の山河が地図と照合できる程度に晴れていないと、こまるらしい。ソ連の旅客機のダイヤが、慢性的に欠航、もしくは欠航にちかいほどの時間遅れが多いのは、国土が広すぎるということもあるだろうが、ひとつには航法にも関係があるらしく思える。

それに、入国査証が手に入るのかどうかという不安もあった。

昨夜、モンゴル領事館の運転手のアパートを訪ねて旅券をあずけっぱなしにして帰ってきたが、運転手が入国査証の事務をやるなど、なんだかお伽話の世界のような気もする。

「ヴィザ、大丈夫です」

と、低い声で運転手のスーレンが言ったとおりの結果になるなら、モンゴル高原にあるかれの国というのは、よほど楽しげな社会主義国といわねばならない。運転手が臨時にヴィザの始末をするなど、日本の官僚制ではとても考えられないことだし、まして世界に冠たる官僚主義のソ連の役所なら、どうであろう。モンゴルという国は、あるいは、遊牧社会特有の人間くさい習慣が、なお残っているのであろうか。

空港までゆくバスに、途中、モンゴル領事館に寄ってもらった。

入国査証はできていた！

（わがモンゴルよ）

と、内心、感謝で叫びたくなる思いが湧きおこったのは、こればかりは余人に伝えがたい。十八歳のときから思いを募らせていた国へ、あと一飛びでゆけるというのが、その関所手形を得てもなお、信じがたいほどの感じなのである。

空港に着いたが、ソ連旅行は、一寸さきは闇であることを覚悟せねばならない。飛行機がぶじとぶかどうか。

イルクーツク空港は、二階が待合室になっていて、固いソファなどが置かれている。見わたすと、日本人の学生らしいのが二人、スラヴ系ソ連人が数人、モンゴル人らしいのは一人も居ない。モンゴルゆきの飛行機が出るというのに、一人ぐらい、その国の人間が待合室に居てもよさそうなもののようだが、それほどモンゴル人の人口がすくないともいえる。

高原の上にあるその国土のひろさは、フランスとドイツ、イタリアそれに英本土をあわせたほどもあるというのに、人口は百三十万程度で、人口密度は一平方キロに〇・八人、世界でもっとも過疎な国のひとつであろう。

もっとも、モンゴル人は地球上の他の場所にもいる。

その本来の故郷は現在モンゴル人民共和国のあるモンゴル高原で、かれらは古来、高燥の地を

好む。ただしシベリアのバイカル湖付近に住むブリャート・モンゴル人のみはどういうわけかシベリアの低湿地で遊牧してきた。このシベリアのブリャートのみはソ連邦に属し、ブリャート自治共和国を持つ。人口六十七万強。

中国にもいる。

中国では主として内蒙古といわれてきた地域のほか、東は東北地方（旧満州）、西は青海省などのいわゆる乾燥アジア地帯に住み、主として遊牧の暮らしを送っており、人口はあわせて百六十万ぐらいらしい。

要するに、モンゴル人は、ソ連の勢力圏内と、中国の勢力圏に分れて住み、その総数でいっても、わずか三百五十万ぐらいである。

学生のころ、モンゴル語を勉強していて、その程度の——戦前の大阪市の人口程度の——民族が、地球の広大な部分で悠々と羊のむれを追っているという、ほとんど空想的大空間ともいうべきものを勝手に想像して、ひどく昂奮したことがある。

待合室でぼんやり長イスにすわっていると、東北大学工学部の学生だという若い人が話しかけてきた。バイカル湖見物ですか、ときくと、いや、水力発電所の見学にきました、という。シベリアのあたらしいスターは、出力四〇万KWというノヴォシビルスクの発電所の完成（一九五八年）だったが、いまではその座をイルクーツク水力発電所（六六万KW）にゆずり、さらにそれらも、

ブラーツクやクラスノヤルスクの何百万KW（黒部が約七六万KW）という巨大発電所の出現で古典的なものになってしまっている。かれはイルクーツクのを見学するためにきた、という。

「すごいものです」

と、言い、くわしく話してくれるので、なかなかおもしろかった。いろんなたとえ話を出して私の想像力を刺激しつつ発電所の様子を話してくれるので、なかなかおもしろかった。

「シベリアは、変りますよ」

といってから、ところで貴方はどこにゆきます、ときいてきた。モンゴルです、と言うと、それまでいきいきしていた若者の表情が、急に停ってしまった。戸惑っているのである。モンゴルときいても、シベリアの大水力発電所とちがい脳裏にどんな画面も描くことができず、スイッチを切ったテレビ受像機のように暗くなってしまった。

モンゴルは、そういう所である。

この人民共和国の国章が、疾走する騎馬の牧人を図案化しているように、半世紀前に革命をおこして古さからいえば世界第二の社会主義国でありながら、一部で強烈な近代化を遂げつつも、大部分は標高一四〇〇メートルの草原で、ほとんど悠久ともいうべき時間に堪えつつ、古代以来の遊牧という生産形態をたもち、そのフェルトの天幕も紀元前から変らず、さらには紀元前から飲みつづけている、馬乳酒をいまなお飲んでいるという国なのである。

「モンゴル人民共和国の言葉は、ロシア語ですか」

「いいえ、モンゴル語です」

「モンゴル語というのは、中国語の親類のような言葉ですか」

と、この知識欲と好奇心の旺盛な若者でさえ、シベリアの南方にひろがる高原の民族について

の知識はまったく無さそうだった。ちなみに、モンゴル人は中国人に似た民族かといわれること

を、ふつう最もきらう。この地球上で、古代以来いまに至るまで、かれらほど中国人をきらう民

族はないのではないか。

「匈奴」

という、モンゴル高原の騎馬民族が、中国の史書に出現するのは、紀元前三一八年である。そ

の後百年ほどして匈奴帝国が樹立し、南下して漢民族の地を侵した。このとき、中国を統一して

漢帝国を興したばかりの漢の高祖はみずから大軍をひきい、大同付近で戦ったが匈奴三十二万騎

に包囲され、身をもって脱出し、のち、娘を匈奴の単于（王）に送って妻とし、さらに年々ばく大

な貢物をモンゴル高原に送り、単于をもって兄として事えるという屈辱的な関係をもった。これ

が、もっとも豊富に匈奴関係の記事が史書にあらわれる最初である。

匈奴は、騎馬人である。

人間が馬にじかに騎るという技術を考えたのは、紀元前六世紀から同三世紀ごろまで、黒海沿

岸の草原で活躍していたスキタイらしい。スキタイはそれに関する出土品によってもわかるよう

に、目がくぼんで隆鼻のイラン系の民族である。

このスキタイの騎馬技術が、中央アジアの草原で牧畜をしている諸民族に影響をあたえ、それ

が東へすすみ、ついにモンゴル高原にいた民族の生産と生活をスキタイ化し、ついに大騎馬団をもって中国史に出現するのが、匈奴であろう。

匈奴がどういう人種であったかは、よくわからない。漢字に音が移される言葉の片鱗からみれば、モンゴル人であり、その体型について表現されている所ではスキタイのような白人に似、あるいはモンゴロイドの一派の古代トルコ人だったのではないかと言われたりする。

この紀元前の匈奴が何者であるにせよ、その生活形態をほぼ生き写しにしていまなお踏襲している世界唯一の民族が、モンゴル人である。

『史記』の「匈奴列伝」には、

「家畜にしたがって移動し、鳥や獣を射猟して生業とする。君主以下、みな畜肉を食料とし、その皮革を衣服とし、旃裘（せんきゅう）（皮ごろも）を被る」

と、ある。もっとも唐のころから衣服はあまり毛皮を好まず、絹布で裁ったモンゴル服を好むようになった。ついでながら絹布は古来、漢民族との交易によって得てきた。

「年々匈奴に絮（まわた）、繒（きぬ）、酒食を漢から呈上した」

と、『漢書』の「匈奴伝」にある。また『漢書』には、季布のいった言葉として、

「夷狄（いてき）というものは鳥獣と同じで、かれらが善い言葉を吐いたところで当方はよろこぶに足りない。またかれらが悪しざまなことを言ったところで、怒るに足らぬ」

という記述がある。

中国人が、夷狄を見る角度は歴史を通じてこの一点に尽きるかもしれない。

『後漢書』の「烏桓伝」には、

「かれらは水草を追って放牧し、定住の地をもたない。穹廬をもって家とし、肉を食い、乳酪を飲み」

とあるが、モンゴル人はいまもこのことにおいてはすこしも生活を変えていないのである。穹廬は、フェルト製の天幕で中国人のいう包、ヨーロッパ人のいうユルト、モンゴル人のいうゲルのことである。

『史記』にも『漢書』にも、匈奴には姓と字がない、と書いているが、何千年来モンゴル人はそのようにしてきて、いまも姓はない。私の小さな体験でいうと、私のモンゴル人の先生は内蒙古のうまれで、アメリカの大学を出た。当時二十六、七で、鼻もちならないほどアメリカかぶれをした（戦時中だったが）人だった。このひと——名をウルトンバートルという——に、先生の姓は何とおっしゃいますか、ときくと、

「モンゴル人に姓はない」

と、胸を張るようにして昂然といった記憶がある。モンゴル人は紀元前から姓がなく、いまも姓のないという歴史の長さまでかれは誇った。もっとも、いまのモンゴル人民共和国では、父の名前を便宜上姓にするというあたらしい習慣ができている。

中国の周辺国家というのは、ことごとくといっていいほど中華の風を慕い、中国文明をとり入れた。朝鮮とベトナムにおいてもっとも濃厚で、日本もその例外でない。

もっともひどいのは、東胡系の半農半牧の異民族で、かれらは五胡十六国の時代以来、中国内部に侵入して国を樹（た）てることがしばしばで、ときに金帝国のように強大なものも樹て、最後には清朝のようなものまでつくったが、そのすべてが中国文明に同化し、その固有の俗をすてたばかりでなく民族そのものまでが大陸のるつぼの中で溶けはてててしまった。

ところが、モンゴル人のみが例外なのである。かれらは古来、中国文明をまったくといっていいほどに受けつけず、むろん姓をつける真似もせず、また衣服その他風俗を変えず、言語の面でも多少の借用語があっても、その数はきわめてすくない。かれらは大陸内部において元帝国をつくったが、そのときも中国文明を拒絶した。元帝国がほろぶと、温暖の中国に愛着をもたず、さっさと集団で朔北の地へ帰った。ふしぎな民族というほかない。

中国人は、文明（自分の）というものには、人は染まるべきものだという信念が古来からつづいている。異民族でも染まれば人としてあつかい、王化に浴したとするが、染まらない民族は、『漢書』におけるように、鳥獣にひとしい。

が、モンゴル人からみれば、元来、農耕を卑しむために、とくに元時代は、農耕民である漢民族を賤奴のようにあつかった。むしろ商売をするウイグル人やイラン人あるいはアラビア人を漢民族より上等の民族として上の階層に置いた。

待合室がざわめきはじめたのは、ようやく正午すぎで、飛行機が出るという。

すぐ階下へ降りた。バスが待っていた。バスが空港内を縫うように走って、やがてフレンドシップに似た五十人乗りぐらいの飛行機の横に着いた。ソ連製のAN24型である。その銀色の翼に、

「モンゴリア」

と、くろぐろと書かれていた。操縦席にモンゴル人がすわっているのが、地上から、風防ガラス越しに見えた。ちょっと、お伽の国へゆく感じだった。

飛行機の中で

イルクーツクの上空は、雨雲でおおわれている。

飛行機は、雲の中をあがくように掻きのぼってゆくのだが、容易に空の青さまで達しない。やっと水平飛行に移ったころに、雲がちぎれ、背後に飛びはじめ、大地が垣間（かいま）みえた。まだシベリアがつづいている。

（このあたりに街道があるはずだが）

と、ひざの上に地図をひろげ、窓にひたいをつけて、見おろしてみた。まだバイカル湖畔らしい大地は沼地にびっしり藻が覆っているような感じの単調な印象で、地図と照合しにくい。

街道というのは、バイカル湖畔からモンゴル高原へのぼってゆく道で、紀元前匈奴帝国の時代から存在したのではないか。いまは立派に舗装されて、シベリアとモンゴルをつなぐ重要な道路になっているはずだが、飛行機の方角がちがうのか、窓から見おろしている限りでは見あたらなかった。

「飛行機はどの方角を飛んでいるのか、この地図で教えてほしい」

という言葉を頭の中で組み立てて、スチュワーデスにたずねてみたが、彼女はかぶりを振っただけだった。おそらく通じなかったのだろう。

機内にはやや空席がある。

乗客は三十五、六人で、ソ連人が多く、それも軍人がめだった。ほかに技術者風の人、役人らしい人物、といった人体のひとびとで、このうちあきらかにモンゴル人だろうと思われるのは中年の夫婦だけのようだった。この飛行機がめざしているモンゴル人民共和国の人口がいかにすくないかということを象徴しているようでもある。

スチュワーデスはモンゴル人である。四十年配で、海牛のように肥って大きく、ハイジャックでもまぎれこめば一撃で粉砕してくれそうな感じだった。その容貌、物腰が威厳に満ちていると、ころから察して、彼女の任務は乗客への奉仕というより、指導の面のほうが大きいのにちがいない。それでも、ザルを突き出してアメをくれたのは、なんだかおかしかった。

彼女はほどなく私の席へやってきて、ひざもとに置かれている地図をとりあげ、通路に突っ立

ったままじっと見つめていたが、やがて人さし指で地図のイルクーツクのあたりを示し、そのままウランバートルまで切るように動かしてみせた。直線コースだという意味だろうか。

数千年の歴史を通じて、モンゴル人の遊牧国家は、つねにその南方に農耕国家としてひろがる中国人の国と関係をかさねてきた。ときに敵対し、ときに中国を征服し、ときに交易し、ときに服従し、やがて民族ぐるみ弱小化した。アジアの歴史は、きわめて有力な視点として、騎馬民族国家と農耕国家のたたかいの歴史だったということができる。

ここ五十年来、モンゴル人民共和国にとっての同伴国は、中国ではない。ソ連である。

げんにこの飛行機の乗客の顔ぶれをみてもわかる。一人の中国人もいないし、もし居たら大騒ぎになるに相違ない。

「モンゴルはいずれ、その人民の自由意思によって中国の一部になるだろう」

と、かつて中国の某指導者がいったという。私は中国人に対して満腔の敬意をもつが、しかしこの一言ばかりは興醒めせざるをえない。

モンゴル人は遊牧の民のせいか、性格が大らかで素朴で、感情を剝き出しにして他民族を憎悪するところがすくないが、地つづきの大地に住む漢民族に対してだけは、生れる以前からきらい

だというところがある。

その理由は、まず民族としての業種がちがうということがあるであろう。遊牧と農耕は同じく大地に依存しつつも、遊牧者は草の生えっぱなしの大地を生存の絶対条件とし、農耕者は逆に草をきらい、その草地を鍬でひっくりかえして田畑にすることを絶対条件としている。かつて内蒙古（いまは中国の一部）で、遊牧圏と農耕圏が入りまじっているあたりでは、このための紛争が絶えなかった。

中国の歴史は歴代の王朝の武力で漢民族の居住区が拡大したというより、現実的にみれば百姓の鍬ひとつで耕地がひろがってゆき、そのひろがったものを王朝が追認してゆくというかたちでひろがったとみていい。その鍬が北にひろがって草原の土をひっ掻きはじめたのは、大規模なかたちとしては明朝から清朝いっぱいという時期であるらしい。

遊牧社会では、夏場はどこといったぐあいにして移動する。たとえば羊群をつれて冬場の放牧地に帰ってくると、そこが漢民族のためにすっかり畑にされていたということが無数にあって、遊牧民にとってはそこで紛争をおこすよりも、羊や馬を養うために他の冬営地をさがさねばならない。結局は百姓が土に打ちこむ鍬のためにかれらは北へ北へと追いやられるはめになった。

清朝（一六一六～一九一二）は、漢民族にとって異民族である満州民族の樹てた王朝で、結局は中国最後の王朝になり、近代に入る。この王朝を形成した満州民族はツングースの一派で、モン

ゴル民族とくらべて純粋の遊牧でなく、古くから半農半牧であった。半牧ながらも遊牧民一般を保護し、その草原が農耕の漢民族の鍬に侵されるのをふせぐべく満蒙に封禁地をつくったりしたが、末期にはふせぎきれなかった。

このため清朝末期には内蒙古の地は漢民族の人口のほうが多くなり、モンゴル人は遊牧の適地の多くを失って、その牧畜生産力は大いに衰弱した。それだけでなく、清朝がモンゴル人の民族的活気を殺ぐためにラマ教をすすめたことも、衰弱に拍車をかけた。生産を支える男子の多くが僧になったことと、さらにはラマ教には僧が初夜権をもつという奇習があり、しかもその性的権威を通じ、僧が梅毒を蔓延させるということなどもあって、人口まで激減してしまった。

清朝の対蒙政策は、政策として梅毒をひろめることまでふくんでいたといわれるから、なみたいていのものではない。

その上、漢民族の商人が、モンゴル人の商業的無知につけ入って搾取し、いよいよ貧窮化させ、ついには家畜すらうしなって草原をうろつく窮民が清朝末ごろから出てきた。草原では乞食が成立しないのである。窮死するしかない。

「蒙古」

という漢民族がことさらモンゴルの音に当てた漢字には、馬鹿、無智という意味と語感が重なっている。農民的政治感覚や商人的経済感覚からみれば、遊牧という素朴な生産社会の中にいる人間など、阿呆としか見えず、だましやすかったにちがいない。

軍閥時代においても、モンゴル人は、漢民族の官吏から見放されていた。中国の官吏は伝統的

に農作物を収奪する上に立っているため、農民と遊牧民とのあいだに紛争がおこれば、かならず遊牧のモンゴル人からみれば、モンゴル人には味方しない。

「中国人」ピャウットフン

という語感は、奸智、高利貸、富裕、軍隊、役人といった印象の総合だったにちがいない。

漢民族にとって、清朝を打倒して中華民国を樹立した栄光の辛亥革命(一九一一)も、モンゴル人にとっては意味を異にするものだった。

清朝のころ、中国に近い内蒙古に対し、ゴビ砂漠の北方のモンゴル地帯は外藩蒙古(外蒙古、いまのモンゴル人民共和国)とよばれたが、ここにいたモンゴル人が、清国の崩壊とともに、独立運動を開始した。独立というより、露骨にいえば中国人から逃げだす運動というべきものだった。

当時、中国人から「庫倫」クーロンとよばれていたいまのウランバートルは、中国人の高利貸の巣窟で、その巧妙な仕掛けが遊牧民を極度に窮乏させていた。かれらは自分たちの不幸のすべての原因は中国と中国人にある、と思っていたし、事実、そうだった。

かれらは中国人と訣別するために、ロシアを選んだのである。当時、ロシアはなお帝政だった。辛亥というのは、モンゴル語では「白い豚の年」というが、この年、モンゴル諸侯はその代表を露都ペテルスブルグに送り、応援を乞うた。

帝政ロシアは、この匂いに応じた。その本音はモンゴルの広大な土地を手に入れようとすると

ころにあったが、これに対し、中国が軍事力をもって帝政ロシアを牽制した。

が、牽制するまでもなく帝政ロシアが革命で倒れ、あらたに日本の帝国主義がシベリア出兵の

かたちでロシアの内乱に付け入り、この方面につよい影響をもたらすのである。

この混乱のなかで、一時期、中華民国の将軍徐樹錚（シュウ・チュチェン）が庫倫を占領したことがある。かれは極

端な占領軍政治を布き、モンゴル人に中国服を着ることを強要し、反乱をおこそうとする分子を

容赦なく殺すほか、中国兵による掠奪、強姦が常習的におこなわれた。そのうちシベリアで赤軍

に敗れた白軍の一派が庫倫に攻めこんできて中国軍を追い、あらたな掠奪者としてモンゴル人を

ほとんど餓死寸前に追いこんだ。

モンゴル人の革命への熱望はこの悲惨のどん底から成立したもので、かれらにとっての救いは、

レーニンしかなかった。一九二〇年六月、七人の志士が、中国軍の監視網をくぐって脱出し、モ

スクワへむかった。かれらが高原を脱出したあと、中国軍がこれを知り、かれらの首に懸賞金を

かけるとともに、その同志と思われる者たちを逮捕しては残忍な報復を加えた。

かれらはモスクワ入りに成功し、レーニンにも会うことができた。さらには応援の約束もとり

つけ、その翌年、赤軍の指導のもとにパルチザンを組織し、庫倫を占領し、一九二四年、世界で

第二番目の社会主義国をこの高原で建国するのである。

　要するに、モンゴル人にとって中国という農耕国家のくびきほど陰惨な記憶がなく、この不幸な記憶は、中国が革命で一変してしまっているとはいえ、容易に去らないにちがいない。それより、シベリアのブリャート・モンゴル人がコサックに対しおなじ牧畜民として親しみを持ってきたように、ロシア人と手を握ることのほうが、抵抗がすくなかった。

　ロシア革命で得をした他民族といえば、モンゴル人ではないかと思われる。あの革命がもし十年遅れていれば、外モンゴルの民は、旧中国と帝政ロシアのために、民族として消えてしまっていたかもしれない。

　その結果が、この飛行機の乗客の顔ぶれにも出ている。

　操縦士はモンゴル人だが、乗客はソ連人が多い。かれらの公務が何であるかはわからないが、ひと口に「中ソ国境」といわれるモンゴル人民共和国の南の国境線の軍事施設と、ひょっとすると無縁でないかもしれない。モンゴルというこの平和な遊牧国家も、そういう殺伐とした事態に、地理的存在としてやむをえずひきこまれているのである。

ウランバートルへ

モンゴール人家族

ウランバートル

ソ連製のAN24型機は、内陸アジアの大高原をめざしている。

気の毒だがモンゴルはおそらく雨だろう、という不吉な観測をイルクーツク空港で聞いていた

ため、私の気持はあまり安らかでなかった。

（雨などやたらに降られてたまるか）

とおもった。

モンゴル人はまれな降雨ならよろこぶ。包から素っ裸でとび出してそのあたりを駆けまわるほ

どである。しかし、イルクーツク空港での話ではモンゴルのこの真夏は雨が降りつづいていると

いう。この時期、日本は異常乾燥で、私が新潟空港を出るとき、ダムの水が涸れそうだとさわが

れていた。もう慣用句のようになっている言い方だが、地球はどこか狂っているのではないか。

雨がやたらに降るモンゴル高原など、考えられもしない。この高原にあっては、乾燥こそ偉大

であり、乾燥がつくった大自然の中にあって、乾燥に調和した生活が営まれている。この高原が

濡れきってしまえばどうにもならないではないか。

たとえば、草である。

八月は、牧畜地帯においては草刈りの季節である。

シベリアでもさかんに草が刈られていた。大学生もかりだされていたし、ハバロフスクのオペラ座でも草刈りのために休館していた。俳優が草刈りに出掛けているのである。ただしおなじオペラ俳優でもモスクワのそれになると草刈りを命ぜられることがなく、この季節でもモスクワだけはオペラを演っているという。

いまごろ、モンゴルのウランバートル大学の学生たちも、大草原のあちこちでさかんに草刈りをやっているであろう。首都のウランバートル大学の学生も、牧人に還って草刈りをやっているにちがいない。

枯草は草原のところどころに積みあげられて冬に備えられる。草の山は乾燥した自然の中でからからに乾いてしまう。冬、その草の山に雪が降りつもると、羊たちが蹄で掻きだし、それを食べる。が、夏から秋にかけて雨が降りつづくという異常なことがあると、その草の山が腐ってしまい、食べられなくなるのである。羊たちが大量に餓死するという事態は、古来、こういう異常気候に原因するところが多く、羊たちに頼って生きている人間たちも当然餓えざるをえない。

史上、このように、異常気象による家畜の死亡と人間の餓えが幾度かあったであろう。

東アジア史は、北方アジアの台上にいる騎馬民族と、中国本土の耕作の適地にいる農耕民族の抗争の歴史としてとらえることができる。夏、秋のモンゴル高原が多雨で、冬に草が枯れる場合、かれらは草をもとめ、辺境にむかって南下する。辺境は騎馬民族にとってそこも自分たちの遊牧

地であると思っているのに、そこはすでに漢民族の手で耕地になっている。そこで襲撃と掠奪といういうお定まりの凶変がおこるが、騎馬民族にとっての真の目的は、農耕民にとって害であるところの雑草を得て家畜を養う。ときに連年居すわることがある。連年居すわれば、農耕民の印象からみると土地をかれらに奪われたにもみえるが、しかし遊牧民族はモンゴル人、イラン人、あるいはアラビア人の如何を問わず、土地についての所有欲は信じがたいほど薄い。

「なぜ、農耕の民は土地に執着するのか」

と、当時のかれらにすればむしろそのほうが奇怪で不思議だったにちがいない。

もっとも、辺境の内側に入りこんだついでに農民から租税を徴収する機関——国家——を樹ててしまうこともある。

五胡十六国の時代（三〇四〜四三九）も、およそそういう事情が初期において濃厚だったであろう。

漢がほろび、蜀・魏・呉による三国鼎立時代がすぎるころ、華北に数多くの王朝が興亡した。五つの異民族（五胡）による王朝もできた。五胡を種族別でいえば、匈奴、羯、鮮卑、氐、羌である。

かれらは元来、農耕地帯との境界に住んでいたために純粋の遊牧性をうしない、農業をもやっていたらしい。農耕的体験があったために華北にすわりこんでしまったにちがいなく、もし純粋

の遊牧集団なら、北方の高原の気候が落ちつき、草の状況がよくなるとさっさと北へ帰って行ったにちがいない。この五胡における匈奴は、内蒙古のオルドス地帯のモンゴル人であり、また氐や羌は、チベット系である。氐という文字は低に通じ、卑しいという意味が重なっている。

唐という強力な統一帝国がうまれると、それまでこの広大な農耕地帯の周辺を駆けまわっていた騎馬民族は、その威風のもとに閉息した。モンゴルはおろか、シベリアの少数民族までが長安にいます皇帝をはるかに仰ぎ、王の上の王（天可汗）ととなえ、その節度に伏すことをよろこんだ。

……と、農耕地帯の歴史である中国史のほうではいうが、騎馬民族のほうでは、内情、うまく行くからに相違ない。

それまでの騎馬民族の衣服といえば皮革であったが、いまのモンゴル人でもなおそうであるように、男女とも絹服を着るようになったのである。地紋のあるドンスの生地に帯を結ぶというモンゴル独特の服は、唐朝の成立前後にかれらの民族服になったのであろう。

かれらは絹が、ほしかった。

もっとも周辺のどの民族も絹をほしがった。イラン系の商業民族や、シルクロードに点在する都市国家群はその絹をはるか西方に運ぶことによって利を得たが、モンゴル高原にいる剽悍な騎馬民族は、商業を好まない。それより、自家の需要のための物々交換をよろこぶ。

――馬と絹とを交換してほしい。

と、たえずかれらは要求して来た。それを無下にはねつけると、馬蹄をとどろかして侵略して

くるおそれがある。馬など農耕地帯ではやたらに要らないのだが、唐朝としては融和政策のため
にかれらの要求を満たさざるをえず、そのつど、大量の絹布をあたえた。かれらはこれをよろこ
び、いよいよ、

「天可汗（テンゲリカガン）」

などと口々に呼び、唐の皇帝をうやまうことをあつくしたが、このことは商業というものが異
民族間の緊張をやわらげるのにいかに効果があるかを物語っている。

AN24型機は、すでに国境を越えたろう。そのことは、強いて間違いを恐れずに言えば、雲の
様子でわかるような気がする。シベリアの雲は厚く鉛色で、窓からいかに目をこらしても地上が
見えなかったが、高原にむかうにつれて次第に雲の色が白っぽくなり、ついには輝くような夏雲
の白さに変った。目の下の雲もちぎれはじめた。

「あれはモンゴルか」

と、例の海牛が化けたようなスチュワーデスにきくと、そうだ、と答えてくれた。

大きく起伏する赤茶けた大地に、ひっかいたような線で道路が走っている。いそがしく蛇行す
る川が、鍛冶屋（パチ）がたたく鉄敷（かなしき）の面のような白さで光っている。
白い包（パオ）のむれもあり、緑と茶の単調な色面のなかに、まれに胡麻をびっしり撒いたような色彩
もみられる。かすかに動いているらしい。よくみると、羊群であった。

高原へは、なおのぼり傾斜なのかどうか。大地の起伏がはげしく、その一つ一つは山や谷とい

っていい。山は風を受ける斜面はあらあらしく赤茶けていて、一方、風の裏側の斜面は、いかにも人間をやわらかく許容する緑である。その緑の斜面へ羊群が面をなしてのぼってゆく。

やがて雲が点々と浮かぶのみになり、前方に青すぎるほどの青空がひろがりはじめた。と同時に、眼下の地上は起伏がよほどすくなくなっている。ほどなくAN24型機が着陸姿勢に入り、最後の起伏の稜線をかすめたとき、一望の草原が眼下にせまった。川がうねり、その川をいとおしむようにして白い小さな建物が点在している。モンゴル人民共和国の首都であるウランバートルである。

振動が座席の下から突きあげてきて、機体は着陸した。

空港は、さほど大きくはない。そのあたりにいる飛行機もみな小さく、この五十人乗りの旅客機が最大であるようだった。白堊に緑の屋根をのせたターミナル・ビルがあったが、ごく素朴な建物で、無線誘導するための管制塔のようなものもない。

地上に降りてふりかえると、奈良の若草山のような感じの山が飛行場の一方を、風から防ぐようにして折りかこんでいた。われわれはその稜線越しに降りてきたのだが、ぜんたいとしてひどく物柔かな自然のように感ぜられた。肺がはずむような感じで空気のよさがわかった。このすばらしくいい空気をわずかな人口のモンゴル人が享受しているのかと思うと、幸福というのは一体何なのか。私は、東京で喘息で苦しんでいる友人を思いだした。彼を連れてきてやればよかったと思ったが、しかし彼は喘息の発作のために何日かに一度は死ぬような気分に襲われながらも、

銀座裏の酒場を何軒かまわらなければ一晩も過ごせない男なのである。

空気のことでは、滞在中にきいた話がある。

ウランバートルは都市ながらも、日本の乗鞍岳の頂上より空気の透明度が高いのだが、それで

も草原の空気に馴れたモンゴル人には不満で、

「ウランバートルの空気は流動体だ」

とののしっているのをきいた。ウランバートルの空気が流動体ならば東京・大阪の空気はあれ

は固体なのかと思ったりしたが、そういう比較よりも、清流のアユがどぶ川では棲めないように、

草原の暮らしの中にいるモンゴル人の肺というのがいかに空気の清濁に敏感であるかにおどろか

された。

ビルの中に入り、一定の手続をすませて二階へあがると、四十年配の肥ったモンゴル婦人が立

っていた。

草色のモンゴル服に細い銀色のベルトを締め、手にはバック・スキンの小さなハンドバッグを

提げている。色白で、小さな黒い瞳が、利発な少女のようによく動く。貿易省の役人であるツェ

ベックマさんである。檮松（あべまつ）先生にとって、彼女は旧知だった。

「私が案内します」

と、きれいな日本語で言い、日本式にすばやく小腰をかがめた。

私はこの人の名を、他の旅行記で読んで知っていたために、初対面のようには思えなかった。

ノモンハンの悪夢

空港からマイクロバスで、首都ウランバートルにむかう。道路はよく舗装されている。

走っているたすぐ右手には青いすそ野をひいた丘陵がつづき、頂上が風に曝されて岩が露出している。

青くひいたすそ野には羊や馬の群れが小さく動き、雲の影がすそ野の緑に濃い模様をつくっている。

雲間の碧さがそのまま光線の束になって地上の白い建物に照りつけていた。沿道のほとんどの建物は、白壁と緑の屋根をもち、蒙古という文字からうけるイメージとおよそちがっており、ヨーロッパの都市の近郊にまぎれこんだような感じもないではない。

かといって自然があくまでも主役で、この大自然のなかに点として家屋が存在し、ときに近代的橋梁があり、ときにコンビナートがあるが、しかし人間はあまり見あたらず、動物のほうが視界の中で圧倒的に数多く動いている。雄大なモンゴルという実感が、すでにこの近郊において湧きたつようにしてせまってくる。

「ここは、もうウランバートルですか」

「そうです。だけど、町の真ン中じゃありませんよ」

と、補助席に大きなお尻を据えているツェベックマさんがいった。彼女の名はモンゴル人の名前としてひどくめずらしい。

「モンゴル語ですか」

「いいえ、チベット語です」

と、揺れながら彼女はいった。

　モンゴル民族とチベット民族とは、トルコ民族とともに有史以前からの仲で、紀元前後、この高原における覇権をたがいに争い、ときには連合し、漢民族からともに匈奴とよばれた。チベット民族の一派であるタングート人が、ときに西夏国のようなオアシス国家をつくり、シルクロードの商権を大きくにぎったこともあるのに、その後、民族的活力をうしない、こんにちルクロードの商権を大きくにぎったこともあるのに、その後、民族的活力をうしない、こんにち秘境というつよい西蔵高原に閉じこもってひどく閉鎖的な民族になったのは、どういうわけなのだろう。すくなくともラマ教の信奉と無縁ではあるまい。

　周知のとおり、チベットに仏教が入ったのは三世紀といわれる。その後、土着信仰と習合してラマ教になった。それが中国周辺の曠野に住むひとびとのあいだにひろがり、ついには南はネパール、ブータンから西はカシミールにおよび、北はモンゴル高原から東は旧満州の一部にいたるまでの広大な地域にひろがった。

仏典は、すべてチベット語である。

このため、近代に入るまでの日本の教養語が漢語であったように、モンゴル人の教養語はチベット語になった。

ツェベックマさんの故郷は旧満州の蒙古圏の一中心であるハイラル付近だが、おそらく父君は彼女がうまれたとき、ちょっとハイカラぶってチベット語の名前をつけたのであろう。

「ところで、ツェベックマという言葉は、どういう意味ですか」

「意味？　それは乙女。——」

といってから、彼女は「大変な乙女。」と付け足し、あとは白く肥ったのどを反らせて大笑いした。

彼女の日本語は器用でおぼえたものでなく、娘のころ正規にならったという。

やがて、トラ川（オルホン川の支流）にかかる平和橋をわたると、ウランバートルの市中に入った。

バスの左手に住宅ビルがならび、やがて右手に科学アカデミーの建物があらわれた。科学アカデミーの前に、スターリンの銅像が立っているのは、こんにちの共産圏諸国の常識からみれば珍景というべきであろう。スターリンは一九五三年に死んで〝歴史〟になったが、一九五六年のソ連共産党第二十回大会以来、ロシアの本場にあっては完膚なきまでに批判された。その銅像も姿を消し、かれの名を冠したスターリングラードなどもヴォルゴグラードと改称されたりしたが、モンゴル人民共和国ばかりは、そういう時流にはいっこうに無関心なようである。

その理由をひとことでいえば、

　　——スターリンには、世話になった。

という、東洋的な義理人情とつながりがあるらしい。

　スターリンの銅像がなおウランバートルにあるということについては、軍国主義時代の日本が登場せざるをえない。

　一九三九年、関東軍が満州と外蒙（モンゴル人民共和国）の国境近くのノモンハンにおいて積極的に国境紛争をおこした。事件の発端はモンゴルの騎兵数騎が、ハルハ川まで馬に水を飲ませにきたことからおこった。この付近の国境線は不明確で、日本側はその付近は満州領であるとし、モンゴル側はそれを自領としていた。

　その数騎を、満州国軍の警備騎兵が実力で追っぱらったのに対し、モンゴル側は翌日六十騎でその数騎を、満州国軍の警備騎兵が実力で追っぱらったのに対し、モンゴル側は翌日六十騎で問題の地点へやってきた。押しかえすためにやってきたのではなく、モンゴル側にいわせれば、

　「あそこで馬に水を飼わせるのは、何千年来われわれがつづけてきたところだ」

ということであったらしい。

　それを日本側は挑発とみた。じつにばかげたことだが、「断固排撃」するために、捜索連隊に歩兵一個大隊を付けた部隊を急派しただけでなく、一個中隊の軽爆撃機をモンゴルの領内にまで飛ばし、モンゴル軍の包二十個を爆撃してしまったのである。関東軍にすれば、頻発する国境紛争を「断固たる意志」を示すことによって終熄させるつもりもあったらしい。しかし客観的にみればこれほど危険な火遊びはなく、またこれほど重大な「国家行為」をやるのに、現地軍がみず

から判断し、みずからやったというような例は、当時、日本以外のどの国にもない。例の統帥権
の魔術というべきものであった。

この事態は、モンゴル人民共和国の側からみれば、侵略というほかない。自領に他国の飛行機
が勝手に飛んできて二十個の包を吹っとばすなど、常識で考えられるだろうか。当然、日本国そ
のものが国家機関の決定にもとづいてモンゴルを併呑すべく侵略してきたとみた。

いまでもモンゴル人は公式にはそう信じている。

あれは関東軍名物の火遊びであったなどというようなあまい日本的事情の説明は、公式的には
とても理解しようとしない。実際のところ、モンゴル人民共和国という弱い国の立場になればこ
のことはただちに理解できるはずだし、第一、関東軍には在来、汎モンゴル運動という、外蒙切
り崩し工作の計画（実効はなかったとはいえ）が実在したから、「併呑の意図」は傍証の面から
も成立せざるをえない。もっとも公正にみて、ノモンハンをひきおこした関東軍に、直接モンゴ
ル併合の意図などはなかったが。——当時のソ連も、関東軍の意図をそこまでには考えていなか
ったようである。ただ、すでに似たような張鼓峰事件をひきおこしている関東軍の奇妙な強気を
徹底的にくじいておく政略的必要が、ソ連にあった。

この政略は、スターリン個人の判断から出ていた。かれはこの時期、ドイツの出方による欧州
の形勢のほうを深刻に見、欧州に専念するために東方において関東軍を徹底的にたたきのめして
おく必要を感じた。深入りせず、期間を短期に限定し、その間、ぼう大な兵力と鉄量をハルハ河

畔の砂礫地に集中しようとした。総司令官にはとくにジューコフ少将（のち元帥）をえらび、かれを執務室によんで任命し、そのことを指示した。このときスターリンはジューコフが要求するだけの兵力と物量をたっぷりあたえた。そのことは『ジューコフ元帥回想録』にある。

このスターリンの大鉄槌によって、薄弱な兵力で火遊びをしていた関東軍は、徹底的に敗北してしまった。そのあとスターリンはモスクワにおいてあっさり停戦協定に応じている。

要するに、政治現象としてのノモンハン事件の真相はそういうところにあったが、しかし自国領を戦場とし、三千人ばかりの戦死者を出したモンゴル人民共和国としては、自国の頭上を通過する日ソ両国の政略という次元からこの事件を見ることはできず、国家がうけた肉体的苦痛の場から理解するのが当然といっていい。

「ハルハ・ゴル戦争（ノモンハン事件）の当時、わがモンゴル人民共和国は建設の途上で、この戦争による支障や傷あととがどれほど大きかったかはかりしれない」

とし、公式的には、モンゴル人はいまもハルハ・ゴル戦争を忘れていない、としている。ソ連と真に接近するようになったのもこのときからだ、というが、小事実としては当然そうであろう。しかし大事実としては、この事件前後にソ連は外蒙国境を重視するようになったということがある。ソ連は国防上の必要から、モンゴルの国家建設に、必要な援助を与えるようになった。ノモンハン事件は、そういう意味からも、モンゴル人民共和国にとって重大な歴史であった。スターそれら、ソ連がモンゴルに与えた軍事的、経済的援助の象徴がスターリンなのである。スター

リンの銅像が共産圏のすべての国から消え去ろうとも、この高原の国の首都の科学アカデミーの庭前から消えることがないのは、いうならば、モンゴル共産党の心意気といったものかもしれず、そのようにして銅像をみると、顔が真面目くさっているだけに、おかし味のようなものが感じられる。

この首都の都市設計は、やはりロシア風といっていい。

モンゴル革命の英雄であるスヘバートルの名を冠した広場にかれの乗馬像の銅像が立ち、そこに重厚な石造建築の政庁がそびえ、緑の豊富な中央公園がひろがっている。このまわりに広い舗装道路が縦横に走って、多くの近代建築がたちならんでいる。ロシア風ではあるが、しかしロシアの都市特有の暗さがないのは、高原の大自然の中にあるという条件があずかって大きいであろう。

ホテルも、シベリアで経てきたソ連のどのホテルよりも清潔で掃除がゆきとどいていたし、室内の水道設備なども古びてはいるが、よく手入れされていた。むろん、シベリアのホテルで悩まされた故障というものもない。モンゴル人の大らかな不潔さという〝歴史〟は、部屋のどこにも見られないのである。

丘の上から

　私は、自分の部屋が気に入った。

　床は、板張りである。歩きまわると、足の裏に微妙な反動が伝わってきて、それだけでもここちよかった。歩きまわれるだけの大らかな空間であり、部屋は寝室と応接室に仕切られている。

　仕切っているドアは、板ガラスを何枚もはめこんだ古風な造作で、白ペンキが塗り重ねられていた。

　白いレースのゆれる窓のそとに、中央公園の針葉樹の樹林の梢がのぞいている。梢のむこうにブルガリア大使館の緑青色のドームが見え、それらの上に濃紺の空があった。そういう、窓からあふれこんでくる色彩のせいか、白いペンキ色が主調になっている部屋の色調が、淡く水色がかったものに感じられた。

　応接室は、質素で古風な卓子とイスが置かれている。卓子の上の灰皿はガラス製で、チェコのものだった。そういえば、この部屋にある電気スタンドもひどくしゃれていて、裏返すと、やは

りチェコのものだった。ベッドは東独製であり、板ガラスはおそらくソ連製ではないかと思われた。

べつにそのことは、モンゴル人民共和国の恥辱ではない。この国は畜産を専門とし、畜産加工のコンビナートを持っていて、それによって共産圏諸国における分業的役割を果たしているわけで、いわば、食肉や革製品を売って灰皿やベッドを買っているにすぎない。

この国は、早くからコメコンに参加している。

モスクワに本部を置く東欧経済相互援助会議に、アジアから一国だけ参加しているのだが、コメコンというのは、見様によってはどぎつい経済体制でもある。各国が規定された専門の産業をもち、同時に規定された専門以外の産業は持たないという徹底した分業システムで、一九四九年に設立されて数年のあいだは、各国はソ連のために国ぐるみの産業奴隷になったような観があり、事実、ソ連による一方的搾取機関という悪評がつよかった。さらには各国を分業化することによって経済的独立性をうしなわせ、ひいては国家の独立性をもうしなわせ、いわば囚人のアキレス腱を切って脱走させないようにするという、ソ連の支配思想のもっともどすの利いたシステムのようにうけとられたし、そう受けとられても、無理もないところがあったであろう。

しかし一九五六年の東欧動乱以後はずいぶん改善されて、互恵平等の立場が確立され、うま味も出てきているという話だが、しかしおなじコメコン仲間でも、東独のような先進工業国とはちがい、モンゴルの場合、太古以来牧畜だけで生きてきただけに、むしろ農業国や工業国から利益

を受けることのほうが圧倒的に多く、いまもそのことに変りがない。灰皿ひとつがそうであり、町を走っているバスにしても、そうである。　私が空港からホテルへ乗ってきたバスはたしか、東独製だったように記憶している。

このホテルの建物は、まだ仲がよかったころの中国の経済援助ででさた。費用も中国がひきうけたし、労務者も中国から送ってきたのだが、ところが中ソ対立がはじまり、事情が変ってしまった。モンゴルはソ連側についただけでなく、公然と中国を非難したため、一九六四年、中国はモンゴルに送っていた経済援助員をぜんぶひきあげてしまったのである。ただしひきあげ前に、このホテルができあがった。その意味では、中ソ関係のある時期の歴史を証明する記念的な建物といっていい。

部屋に置かれているガラス製の水さしもチェコ製だった。一個しかなかった。家内がもう一つ欲しいと思い、私に、水というのはどう言えばよいか、ときいた。

私は考えこんで、水というのはモンゴル語でウスという。しかし、ここの飲料水は炭酸水のようだから、水では通用すまいと思い、考えこんでしまった。もっとも炭酸水というモンゴル語など、私は知らない。私が習ったのは中国に近い内モンゴルの言葉で、その地方にはあるいは炭酸水を飲むようなロシア風の習慣がないかもしれず、もともと覚えてなかったのかもしれない。

しかし、ホジルトという言葉が記憶の中にある。ホジルというのは炭酸石灰で、トが付くのは

場所を示す。砂漠などで、鉱物としての炭酸石灰の出る場所をそう言ったという記憶があるため、

ホジルトのトを除いて、

「ホジルじゃないか」

と、教えた。

このために、大騒ぎになってしまった。

各階にフロントがあって、年配の婦人が鍵をあずかってすわっている。家内はその婦人のもとにおずおずと寄って行って、彼女にとって生涯でただ一度口にするところのモンゴル語を発声した。

「ホジルが欲しいのです」

フロントの婦人は、とびあがった。聞きなおしてみると、この日本婦人は懸命に笑顔を作って、ホジルが欲しいのです、と繰りかえし言っている。

たまたま巡回していた営繕係の男子も寄ってきた。みな口々に、ホジル、ホジルとつぶやき、家内の顔を見た。私はまずいことを教えてしまったようである。ホジルとは鉱物学上の名前で、それが欲しいというのは、つまりその鉱物をふくむ砂漠の一角を私は欲している、とでもとられてしまったらしい。

みなあきれかえっているので、彼女も大変なことを自分が言っているということに気づき、狼狽して、

「ミズ。――」

と、日本語で叫んだ。これがどういうわけか通じて、一同「ウス、ウス」と言いながら散ってゆき、やがてちゃんと彼女の望むところの飲料用の水が部屋に運ばれてきた。彼女は、大恥をかいた。もしモンゴル人たちが日本人のエコノミック・アニマルの評判を聞き知っていたとすれば、日本の女性がゴビ砂漠を一坪か二坪、買いにきたのかと思ってあわてたにちがいない。

到着早々だが、まだ陽が高かった。

ウランバートルの市街を見おろす丘へでもゆこうと思い、階下に降りてツェベックマさんに相談すると、ゆきましょう、と小さなハンドバッグをとりあげ、

「そのかわり、石段が長いですよ」

と、おどすようにいった。

「丘に石段があるんですか」

「ええ。ふつうの丘じゃなくてね、革命に斃れた英霊の記念塔のある丘ですから」

と、すべて彼女の言葉は日本語である。彼女は、むろん日本を知らない。その日本語は三十年前にハイラルで習ったものだが、すこしの渋滞もなかった。私も三十年前にモンゴル語を習ったはずだが、能力のちがいのはなはだしさに、あきれるほかない。

途中、国立中央オペラ劇場の前を通った。

この劇場は日本人捕虜の労役によって建てられたものだという知識は私にあったが、ツェベックマさんに余計な気づかいをさせまいと思い、確認を求めなかった。確認せずとも、事実は事実である。

私は、敗戦のときにソ連が多数の日本人を捕虜にし、シベリアからウクライナ、あるいはモンゴルにいたるまで、広大な地域で奴隷労働をさせたことについて、言いがたい感情をもっている。そのソ連の国家行為をむしろ正当化する言い方はある。反省すべきは日本帝国主義の罪悪のほうではないか、とたとえ言われたところで、私は大人だから、子供のように言いくるめられるわけにはゆかない。連れてゆかれた人が私と同世代のひとびとだっただけに、国家次元の問題よりも、人情としてやりきれない思いを持たざるをえず、国家論抜きのいわば婦女子の情としてである。

当時のソ連は、旧満州でひっからげた日本人捕虜をモンゴルにも配給した。モンゴルだけでその数は一万三千八百四十七人だったという。二カ年の抑留中、そのうちの一割強(千六百八十四人)が死んだ。

かれらはあらゆる種類の労役に従事させられたが、この国立中央オペラ劇場の建設もそうだった。そういう知識さえなければ、どれほど愉快に、この一見石造ふうの重厚な、しかし近づいてみればセメント製(といってもソ連の国内でも戦後建築の多くがセメント製)の建物を眺めることができたであろう。

バスが劇場の前を通るとき、私は複雑な気持になった。モンゴル人民共和国という、本来、草

原に捨てられていたような、つまり経済的自立の困難なこの国にこれだけの近代都市をつくらせ、工業を興させ、娯楽機関として優雅なオペラ劇場まで持てる水準にまで達せしめたのは、モンゴル人の努力と近代化のためのすぐれた才能によるとはいえ、ソ連の援助がなければ不可能であったにちがいない。その点、モンゴル好きの私の謝意はソ連にむかって大きく傾斜する。しかしオペラ劇場の建物だけは、どうもまともに見る気になれないのである。

革命の英霊の丘を登りつつ、この国の憲法に偉大な条文があるのを思いだした。記憶は正確ではないが、

「極端な愛国主義と盲目的な民族主義を排する」

という意味だったように思える。極端な愛国主義や盲目的民族主義は人類のためにむしろ有害であるということについては大方異存がないと思うが、しかしどの国の支配階級もこの種の傾向には存外寛大であるといえるかもしれない。これについての禁止を憲法で明文化しているのは、世界でもモンゴル人民共和国がただ一カ国である。

たしかに、モンゴルにとって他国に誇るべき憲法であるにちがいない。しかしこれは憶測だが、事情があるのではないか。

モンゴル人は、いまモンゴル人民共和国にいる人口よりもずっと多くの同胞が、中国圏のモンゴル地帯に住んでいるのである。かれらが、もし汎（はん）モンゴル運動という「盲目的な民族運動」の情熱にゆりうごかされるとすれば、どうなるであろう。ソ連をも中国をも不安におとしいれるに

ちがいない。

げんに、日本の大正期から昭和前期にかけて、日本は帝国主義的発想から、汎モンゴル主義運動をモンゴル人に働きかけ、旧呼称でいう満州蒙古、蒙疆、外蒙を一つにするところの大モンゴル国家の建設という夢のような提唱（多分に出先機関だけの着想だったが）をしたことがあった。このことは、ソ連にとっても中国にとっても、むろん迷惑至極なことであり、これに乗ったモンゴル人も多少はいたが、しかし歴史はそのようには動かなかった。が、今後、この種の白昼夢を見たがる連中が出て来ぬともかぎらないのである。

憲法のこのスマートな一カ条は、その危惧を裏打ちしておそらく存在しているのにちがいない。

丘の上からみたウランバートル市街は、小規模ながら白く輝くような、申し分のない近代都市であった。郊外に大きな工業地帯がありつつも、しかも私の足もとをしきりに山羊の家族が横切ってゆくのである。自然は都市も工業も呑みこんで際限もなく大きく、この空の下に住むひとびとに不幸があるはずがないように思えた。たしかにこの風景を前にすると、右の憲法の一カ条こそ重大であり、汎モンゴル主義などは狂人のたわごとに過ぎず、さらにはこの都市の建設のために死んだ日本人たちも、感傷的にいえば無意味な死ではなかったかもしれないという慰めも湧いてくる。

逆　縁

例の丘からホテルの前まで帰ってくると、すでに時刻は夕方なのだが、空は真っ昼間のように、馬鹿輝きにかがやいている。

白い建物のむれ、ネズミ色のアスファルトで舗装された街路、ロシア的空間をもつ広場、それらを縁どっている針葉樹の並木、さらにその上にかぶさっている途方もなく広い空。それが、標高一四〇〇メートルの大高原にあるウランバートル市なのだが、遠い島々にいる日本人たちは、自分に似た民族が、この高原で、これほど素晴しい町を作って暮らしていることを考えたことがあるだろうか。

私は、ウランバートル大学の東館の前の歩道を歩きつつ、出発の前に、友人が洩らした質問を思い出した。

「モンゴル人というのは、まだ居るの」

つまり国家や首都どころか、民族がこの地上に存在しているのかどうか、さだかでないのが日本人にとってモンゴル人民共和国、もしくはモンゴル人というものかもしれず、その存在は多分

に歴史学や言語学の対象として存在しているようである。

しかしながらモンゴル人にとっては、厄介なことに、その想念の中に日本国が濃厚に存在する。しかも戦争と膨脹という血なまぐさいイメージをともなう現実としてである。

ニューヨーク生れで日本通のアメリカ人ジャーナリストであるアルバート・アクセルバンクは、一九六八年冬にモンゴルを訪ね、『ゴビの魂』(長野洋子訳・講談社刊)という本を書き、「アジアの新しい星・モンゴル」という副題を添えた。

かれは、モンゴル政府が発行した人民共和国の歴史を読んで、「日本に対する歴史がひじょうに多く、日本について言及していないページはほとんどないくらいである」と書いている。

人民共和国の歴史は半世紀にすぎないが、この間、大正から昭和にかけて、日本の国家の内部まで変質させたところの軍国主義による膨脹——の歴史と、時間を俱にしている。

この人民共和国の歴史によれば、たとえばもっとも重要な項目のひとつとして、一九二七年、日本のアラキ将軍は、モンゴル人民共和国に対し、力ずくでもって日本帝国への併合をせまった、としている。

この一項は、モンゴルにとっては重い〝歴史事実〟らしい。しかしわれわれ日本人にとっては全く知るところのない〝歴史〟である。第一、この荒木というのは荒木貞夫のことだろうが、この時期のかれは首相でも参謀本部の総長でもなく、たかだか少将か、中将になりたてのころだった。その程度の男が、「力ずくで」モンゴル人民共和国を日本に合併すべくせまれるだろうか。

が、どうやら事実といえば事実なのである。

　私は、スヘバートル広場に入った。ホテルに帰るべく方角を変えると、中央公園の森が正面になった。その森のむこうに、私が泊まっているホテルが見える。

　私は、公園に入った。小径と灌木の茂みが多い。灌木のかげに、一組の若い男女が、だまってベンチにすわっていた。ふと、モンゴル人の愛情を交わしあう情景――話できいただけだが――を想いだした。草原で、しかも真っ昼間に合歓することを好む。一騎が地平線の一角にあらわれ、他の一騎が、べつの地平線の一角にあらわれる。たがいにその影を確認（モンゴル人の視力のみが、その小さな人影をとらえうる）しあってから、双方、駆けに駆けて半時間もしてやっと遭遇する。大地のいかに大きいかがわかるであろう。双方、馬上で抱きあい、やがて鞍から草の上に落ちる。

　私は、この滞在中、ウランバートルの恋人たちはどこで逢引をするのか、ときいてみたところ、私の話し相手はすこし酔っぱらっていたが、「なんだ、そんなこと」といった表情で、馬さえあればどこでも行けるじゃないか、といった。なるほど、ウランバートルの市街を出れば、満目、渺しもなくつづく無人の草原なのである。

　荒木貞夫のことである。

　昭和史に出てくる人物のなかで、これほど人間としてつまらない人物もめずらしい。

うらなりのヘチマのように印象稀薄な顔をしていて、両眼の存在も蠅が二ひきとまった程度にかぼそく、口もとに至っては、どうにもならぬほど貧相なのだが、しかし顔はうまれつきであるために仕方がないにしても、かれ自身、よほど自分の顔にやる瀬ない思いがしていたのか、鼻の下に長大な八字ひげをはやしてみせ、それでもってやっと形をつけていた。そのあたりのインチキ臭さが、荒木の身辺にも言動にも生涯つきまとっていたもので、こういう程度の人物を、昭和初年の皇道派の青年将校たちは大人物と思ったのか、クーデターが成功したあかつきにはクーター内閣の総理大臣に推戴しようと考えていた。もっともかれらが荒木を傑物だと思っていたというより、荒木をかつげば、かれは若い者に対して何事でも唯々諾々だから国家改革に諸事都合がいいと思っていたのだろうか。

まったく、変な男であった。若者蕩らしという言葉があるとすれば、荒木はその機微を悪達者に心得た男だった。かれが陸軍中将で軍部の中の皇道派の親玉だったとき、かれと志を同じくする二十二、三歳の少、中尉たちが酔っぱらってかれの家をたずね、玄関まで出てきた荒木をみて、「オイ、荒木」と呼びすてにしたという。この話は、当時の軍部の下剋上気分を伝える上で格好な挿話とされているが、しかしそれを受けた荒木の応答のほうが、はるかに気味が悪い。かれは破顔一笑し、「若いモンは元気がええのう」といった。これについて、

荒木は、人一倍小心な男だったようだが、つねに剛腹を衒い、擬装していた。これについて、

右翼の井上日召の著書『一人一殺』に、いかにも荒木らしい話が出ている。荒木が第六師団（熊本）の師団長だったころ——昭和六年正月——井上が熊本の荒木の官舎を訪ねると、酒になった。その席で井上がやがて東京においてクーデターをやる、というようなことをいうと、荒木は賛成の意を表し、そのときは第六師団をひきいて上京する、といったから、井上は「大いに勢いづいて、勇躍して」東京へ帰ったらしい。

荒木は、そういう人物だった。擬装剛腹の才子というより、陸軍の現役将官の官服で人を信用させるインチキ師とでもいうべきだろうか。この話が本当とすれば、一個師団という大軍を熊本から東京まで、世間にわからぬように、どのように輸送するつもりだったのだろう。小一万人の兵員に、砲、段列、馬などを輸送する特別列車を何本も用意せねばならず、公式に東京へ移動するにしても大さわぎなのである。

荒木はむろんそういうことはわかっている。法螺を吹いて、右翼壮士の親玉をその場だけでも心服させてみたいという、妙な気質の持主だったらしい。さすがに、荒木はのち、軍部の二つの派閥である皇道派からも統制派からも相手にされなくなるのだが、かれにとって光栄なことに、モンゴルの歴史に、悪名としてながら、名を残しているのである。

一九二七（昭和二）年に荒木がモンゴルを力ずくで合併しようとしたというのは、荒木のハルビン特務機関長のころである。

かれが何をしたのか、私にはよくわからない。

ただかつてかれの部下だった黒木親慶という陸軍大尉が、ハルビン特務機関員のころ、強烈に

モンゴル工作をしたことが、高橋治氏の労作である『派兵』に出ている。その黒木の活動が荒木

の名前でモンゴル側に印象されているのだろうか。それにしても黒木の活動は一九二七年よりず

っと前である。黒木がモンゴルについてやった最大の仕事は、白軍司令官であるセミョーノフを

応援し、汎モンゴル帝国の樹立をモンゴル人によびかけ、それについての代表者会議をシベリア

のチタでひらいた（一九一九年二月）ことだったようである。

もっとも、この会議を黒木大尉がお膳立したことは、かれの独走のようだった。その直後に、

黒木は特務機関員という謀略の仕事を罷めさせられ、東京へ転任を命ぜられている。右のチタ会

議の年は、荒木の年譜では浦塩派遣軍参謀である。黒木の仕事と無縁ではない。

モンゴル人民共和国史でいう一九二七年は、荒木の年譜では、参謀本部第一部長で、少将だっ

た。この時期に、荒木は在満特務機関に対してなにか工作を命じていたのかもしれない。ハルビ

ン特務機関は、持続的に対蒙工作をやっていたと思われるから、荒木が参謀本部第一部長時代、

現地の特務機関がなにか大きなことをし、それに対し、東京の荒木が、例によってやみくもに、

「大いにやれ、おれが責任をとってやる」などとけしかけたのだろうか。

ついでながら、陸軍特務機関というのは満州や内蒙古の包頭などに置かれ、予想さるべき作戦

（対ソ戦が主たるものであろう）に伴う諜報と謀略を担当し、東京の参謀本部に直属していた。そ

の機関長および高級機関員は参謀本部の特権で、その下に多くの雇員をつかっていた。悪名の高

いCIAと似たようなものだが、CIAほどに専門化された諜報技能はとてももっていなかったよ

うに思える。

中央公園を歩きながら、雲のように感懐が湧いてくるのをどう仕様もない。そのひとつが、人民共和国の正史においては、二十世紀前半の日本がモンゴル人民共和国にとって最悪の悪者であったということである。たしかにそうだった。しかし同時に思うのだが、その二十世紀前半において、当時〝外蒙古〟といわれたこの国で、日本人という生きものを現実に目撃したモンゴル人は、何人いたろうか。概していえば、絶無にちかかったのではないか。

モンゴル人がなまの日本人を大量に見たのは、戦後ウランバートルに日本人捕虜がきたのが最初だったにちがいない。その一万数千の不幸な日本人にとっても、モンゴル人を大量に見たのは、両民族の歴史の規模でいえば、十三世紀に博多湾へいわゆる「元寇」が押しよせてきて以来、最初のことである。

要するに、十三世紀と二十世紀のある期間をのぞいては、長い日蒙の歴史の上で交渉はまったくなかった。

歩きつつ、妙な縁だと思った。

代理大使の冬

ウランバートルでは、どの国の大使館も、しゃれた建物を持っている。設計はソ連人であったり、モンゴル人であったりする。

日本は遅く国交をひらいたため、私がこの町に着いた日からちょうど一月前に、大使館が開設されたばかりだった。とりあえず敷地が予定されたそうだが施工までは至らず、ホテル住まいをしていた。ホテルは私が泊まっているウランバートル・ホテルで、四階だったか五階だったか。私はそこを訪ねるべく、ロシア式の窮屈で遅いエレベーターに乗った。ゆるゆるのぼってゆく。このエレベーターを動かしている電気は、むろんモンゴル人が生産している。郊外の火力発電所があって、そこから送られてくる。

その発電所で燃えている重油も、モンゴル人が掘っている。ゴビ砂漠のあちこちで石油が出る。量はコメコンを通じて輸出できるほどだから、消費量にくらべれば相当な量なのであろう。ついでながらモンゴルの地下資源はそのほか、ダルハン（ウランバートル北方の工業都市）に年産五十万

トンの露天掘の炭鉱があり、また金もすこし出る。エレベーターを出ると、どの階のその場所もそうであるように、現代文明の象徴であるテレビ受像機もある。

廊下を入ってすぐの部屋が、日本大使館である。あらかじめ電話をしておいたから、代理大使の崎山喜三郎氏が待ってくれているはずだった。

崎山氏は私の出た小さな学校の五、六年先輩で、在学中から名前だけはきいていた。この人の期（といっても一期に十四、五人しかいない）のひとたちが、崎山氏の音頭取りで『和蒙辞書』を作った。その辞書を私どもも使っていたのである。

変な辞書だった。活字がないため、その連中が手書きで書いたガリ版刷りのもので、それに紙がぼってりと厚いため、赤表紙をくっつけたその本そのものは変に分厚かったが、しかし集められている言葉は五千語もなく、いわば単語帳のようなものだった。

崎山氏も、楠松先生から習った。楠松先生は右のような不完全な辞書を作ることに反対だったそうだから、印刷屋の親父さんを口説いて、著作権をやるかわりに印刷代も紙代も製本代も無料にしてくれ、ついでに刷った十五冊はわれわれの作業代としてただで呉れ、と頼んだ。印刷屋は、そんな辞書、売れるのか、と頭をかかえていたそうだが、それでも世間には物好きがいて、年々五十冊ほどは売れていたというから、損にはならなかったにちがいない。そんなわけで、崎山喜三郎という名前を聞いていた。

ドアをあけると、すぐ客間になっている。

客間のとなりが執務室で、二人の青年と一人のモンゴル女性が、事務をとっている。装置はそれだけだが、外光があふれるように入っていて、それを背に、例の辞書の編纂者がつとまりそうな小柄だがいかにも敏捷そうで、いまでも裏街にもぐりこめばそのままガキ大将がつとまりそうな感じの人だった。

「えらい商売、はじめたもんですわ」

と、それが第一声だった。開設業務のことである。日本もモンゴルも、両民族が地上に出現して以来、はじめて国家間の交際をはじめたことになるのだが、東京の感覚ではウランバートルの特殊事情が理解しがたく、大使館をひらくとなると、なにもかも大変だったという。

崎山氏は、外務省留学生の出身である。語学の研修のために、たとえばフランス語だとパリ大学とか、中国語だと北京大学といったふうに留学するのだがモンゴル語の場合だと——その当時なら内蒙古が行くべき土地なのだが——どこにも大学がない。

だから、ラマ寺へ入る。

「お経までよまされましたぜ」

「僧になったのですか」

「まあ、似たようなことだったかな」

僧にこそならなかったが、チベット語を教えこまされて、仏教学の講義まで聴かされたという。

ラマ教というのは淫祠邪教といった印象があるし、事実そんな側面もあるが、ラマ教学になると、日本の鎌倉仏教よりもインド仏教にちかく、その経典である『西蔵大蔵経』は、その翻訳の忠実さにおいて、日本仏教がよりどころにしてきた『漢訳大蔵経』より、むしろインドの原典にちかいといわれる。

僧も、いろいろである。

寺々に巣食って淫楽にふけっている僧もあれば、学問寺にいて生涯学問ばかりしている僧もいた。いた、というこの過去形は、中国の北辺の蒙疆において中国革命の波がラマ教を過去のものにしてしまう時期までのことで、歴史的にはごく最近までのことに属する。

『蒙古学問寺』

という著作が、宗教学者の長尾雅人氏にある。昭和二十二年・全国書房刊で、その序文による と、著者は昭和十八年、内蒙古における二、三の学問寺を訪ね、その組織と内容、および学問僧の生活を書いたもので、いまとなればそれが存在しないか変形しているかもしれないだけに、貴重な書物といっていい。

私のかぼそいモンゴル観は多分に書物的なものだったのだが、この書物からも負うところが多かった。

モンゴル人は中央アジアの歴史にあらわれた偉大な民族の一つであると言われていながら、その民族の精神と生活を、自立できないまでに頽廃させたのはラマ教であるとされていた。事実、

そうであったろう。

しかし、長尾雅人氏の右の著書の序文によると、氏は学問寺を見るにおよんで——以下引用

——「かつての好戦勇武の蒙古民族が、今はただ懶惰軟弱に堕しているという如くに伝えられていた蒙古民族に就いて、他の半面に斯る学問的なものへの積極性と能力とのあることを見出したことは、大きな驚きでもあり、喜びでもあったのである」と、されている。学問寺というのは別な印象をあたえる存在だったのであろう。

その書物によると——おそらく崎山氏が留学していた学問寺だろうが——大規模な研究所としての内容をもち、数百の学徒をかかえ、しかもそこにいる学徒たちは、この大学に入ったところで、他の功利主義的社会のように、「卒業しても就職口があったり、他の栄位に就くというわけではなく」あくまでもこの学問寺において生を終える最後まで学僧として学問の研鑽に従う、というのである。壮烈というべきではないか。

大学は、四つの学部から成る総合大学の体をなしており、顕教学部、密教学部、時輪学（天文学）部、そして薬学部（医学部の機能）から成る。……

「崎山さんも、大変でしたな」

と、草原の学問寺で過ごした奇妙な青春を、満腔のうらやましさを籠めて、からかってみた。

当時の外務省も、留学生の送り場所として味なことをやったものだと思うが、ただ崎山氏の官歴は、せっかくこのようにして習得したモンゴル語とは無関係な土地ばかりを経めぐらされてき

た。そして五十半ばで、思いもよらず日本とモンゴル人民共和国とが国交をひらき、この草原の国の首都に大使館をひらくことになって、赴任してきたのである。

「いい齢になってから」

と崎山氏はいった。

「夢が、とっくの昔に醒めてしまっているのに、な」

と、崎山氏は、笑っている顔を掌でごしごしこすって笑顔を消しながら、憮然（ぶぜん）としている。まったく、戦前の青年にとって、夢でもって自己肥大させようとするとき、モンゴルというのは格好の主題だったし、私のような者でも、酒場で酔っぱらって「蒙古放浪歌」などを、思いだし思いだししながら歌っていると、ばかばかしいことだが、涙がにじんでしまう。崎山さんの場合、青春の夢というのもそれに似たものだったかもしれないし、そういう種類の夢と、大使館開設という灰神楽（はいかぐら）の舞い立つような事務の連続とは本質的にちがうわけである。それを思えば人生の主要成分は事務なのかと、思ったりする。

「冬を、どうするかなァ」

と、崎山さんは片手を長イスのふちに掛けて、体を伸ばした。いまは開設事務でいそがしくて大変いいんですが、冬になれば一段落し、事務はすくなくなる。世界中でウランバートルほど無事平穏な都はないそうで、日本とモンゴルの関係にしてもいまは泰平そのものであり、おそらく大汗かいて処理すべき事柄もおこりそうになく、散歩にゆこうにも外は凍っているし、酒を飲も

うにも社会主義国だから酒場はなく、こうなるとよほど心を雄大にして構えないと、日本人根性ではウランバートルの冬は越せませんぞ、とこのアジア専門の外交官は、私をおどすようにいうのである。もっともこの国で冬をすごすのは崎山さんのほうで、遺憾ながら私ではない。

この日、夜遅く崎山さん方を再訪して、ウィスキーをご馳走してもらった。はじめて夫人にもあいさつし、たまたま休暇でモンゴル旅行にきていたお嬢さんにもお目にかかれた。

お嬢さんの名はかおるという。彼女はみじかい期間の旅行ながら、草原や砂漠の植物をびっしり採集していて、東京の電話帳で押花にしていた。植物が好きで、東京大学の大学院で生物学をやっているという。生物学というのは分類学や形態学のような素朴な段階は過去のもので、いまでは蛋白質がどうこうというややこしいものになっていると聞いているが、やはりこういう植物採集のような"博物"的好奇心というのが、学問をやりつづける心意気として存在しているのだろうか。

「遊びです」

彼女は、お父さんによく似た笑顔で、手みじかに答えた。

ところで、崎山氏はこの方面の素人大家なのである。かれは照れてその標本をなかなか見せてくれなかったが、やっと棚の上からおろしてくれた。ゴビの草原の蝶の標本で、ずいぶん種類が多そうだった。どの蝶も、脚が長い。

「脚の長いのは、ゴビの蝶の特徴です」

と、崎山氏はいった。

氏の説明によると、蝶は風に弱い。ところがゴビにつよい風が吹くとき、大草原の蝶たちは短い草のかげ以外に身をかくす場所がない。このため彼女らは草の根方に脚をからませて身を倒し、風の過ぎるのを待つそうで、このために脚が長い、という。

どの蝶にも、まだ名前が書きしるされていない。科学アカデミーに行ってきけばすぐわかるそうだが、この娯楽は例の冬に備えて、そのときの娯楽として残してあるのだという。

「それでも、三日ですぜ」

と、崎山氏は笑わずにいった。冬が長いのに、名前のためのこの作業はせいぜい三日だ、という意味である。

標本はさすがに見事なものだが、眺めていると、辞書のことを思い出した。この人なら、なるほど学生時代に辞書の一つぐらい作るだろうと思われた。モンゴル語の語彙をいっぱい採集してきて、それをＡＢＣ順に分類するということと、この昆虫標本はどこか似ているのである。その"辞書"のおかげを私ども後進はずいぶん蒙ったのだが、博物の採集と分類のほうは娘さんに影響をあたえてとうとう生学物を専攻させてしまった、という感じだった。

大使館に、いま一時的に事務をとっている留学生身分の館員がいる。

富永君という若い人で、東京外大のモンゴル語科を出て、若いころの崎山氏とおなじく外務省留学生になった。ところが卒業が二、三年前だったため、その頃はモンゴルとの国交がなく、ウランバートル大学に入ることができなかった。やむなく留学先として命ぜられたのは、米国のどこかの大学のアルタイ語族科だったという。崎山さんの行先がラマ寺だったのとは、ずいぶん今昔の感があるが、どちらが気の毒かは、よくわからない。

ところが今年になって、やっとモンゴル政府からウランバートル大学に入れてやるという許可があり、大いに勇んではるばるアメリカからやってきたというのである。

「この冬に、入学するのです」

と、かれが笑顔をひらいて言ったとき、笑顔のなかに青春というものを、久しぶりで感じてしまった。

若者たち

食堂へ降りて、テーブルにつくと、五十年配の食堂支配人が寄ってきてくれる。

「お飲み物は何になさいますか」

料理のことはきかない。きく必要がなく、その日その日で決まっているからである。

かれは、大男の多いモンゴル人にしてはやや小柄で、陽にやけた筋肉質の体をもち、それにモンゴル人にしてはやや撫で肩である。かれは他のモンゴル人とはちがった服を着ていた。日本の国鉄の運転士の制服と似た服で、作業服にちかいものだった。

以下はどうも、私だけの印象かもしれず、つよくは言えないが、最近の日本人は、世の中が気ぜわしいせいか、初老以上の年齢の男たちの顔に品がなくなってきたように思える。そのことと思いあわせて、食堂支配人をみたとき、子供のころの記憶がにわかによみがえった。

（日本人じゃないだろうか）

と、とっぴかもしれないが、思ったほどだった。ノモンハン事件における「行方不明」の人が、このウランバートルでひっそり暮らしているという話をきいたことがあるからである。

それほど、戦前の日本人に似ている。戦前は、どの町内でも村でも、品のいい笑じわを顔に刻んだ初老の男や老人が何人も居たような記憶があって、かれはそういう感じだった。卑屈でなくひかえ目な物腰、物をいうときにかならずうかべる気のいい微笑、さらにはかがんで話しかけるとき、ちょうど相手の耳に届く程度に抑制されたひくく快い声音。どこからみても、草原を馳駆する豪放な遊牧民といった感じではない。

「あなたは、まさか、日本人ではないでしょうね」

と、無躾だが、きいてみた。

ついでながら日本という言葉は、以前、内蒙古では naran （太陽）といった。このときつい、そ
の言葉でいったが、通じず、ヤポンと言い直すと、わかった。

「ちがいます」

かれは、笑顔でいった。むろんそのとおりで、かれのこの感じというのは、初老のモンゴル人
の典型の一つだということが、後日わかった。

料理はロシア風に調理され、盛りつけされているが、羊肉が主体になっている。羊特有の臭気
がなく、十分にうまかった。

野菜が少量ついているのが、なにやらおかしかった。

モンゴル人は古来、野菜を食べないのである。ビタミンCは動物の乳や肉、内臓から間接的に
摂っているから不自由がない。たとえば皿のすみに野菜が載っかっている場合、それが汚物であ
るかのように気味わるげにそっとフォークで遠ざけて他の物を食うといった人も多いという。い
ま野菜が少量ながらも料理についているというのは、要するにモンゴル人はがんばっているわけ
であり、外国人はこういうものを食うということで、サーヴィスをしているわけなのである。

この野菜は、モンゴル産である。

話は飛ぶが、遊牧民族というのは、モンゴルであれイランであれアラビアであれ、商業民族や
農業民族にくらべて、伝統として民族的自尊心がつよいということから理解しなければならない。

とくに、農業民族に対してである。土の上を這いずりまわっている汚ならしい耕作者を、遊牧者が馬上ゆたかに見おろしている光景を想像すれば、かれらの気分がほぼ察せられるであろう。

モンゴル人が耕作をきらったのは、基本的にそういう理由もあったし、それにラマ教が入ってから土を掘ることそのものが宗教的禁忌になった。土を掘るとその中にいる虫を殺す。悪業になる。

悪業があれば悪く転生してしまう、だからいけない、というのである。

さらには、農業をやれば民族が滅亡するかもしれないという潜在的な恐怖心が強かった――証拠がないが――に相違ないと私は思っている。

中国の周辺の乾燥アジアで、多くの遊牧民族が興亡した。古代トルコ系、古代チベット系などは紀元前後において優勢で、そのころモンゴル民族などは多くの小部族にわかれていて、漂うように生きていただけである。モンゴル民族が勃然として世界史上に姿をあらわすのは、功罪はどうであれ、ジンギス・カン（この稿では、かれのことはまだ触れていないが）以後に属する。

いまの東北地方（旧満州）にも、力のある遊牧民族が興亡した。ふつうかれらは東胡といわれるが、しばしば華北の地に王国をたて、その故地にあっては渤海王朝をつくり、さらに華北に入って金王朝を樹てた。また近世においては中原を制し、中国史上最大の版図といわれる清王朝（満州王朝）をたてた。ところがかれらは、いまは無い。漢民族のなかに溶けるようにして消滅してしまったのである。

征服民族が、跡かたもなく消えたことについては、漢民族の同化力とか、中国文明の偉大さと

かいったことで理由づけられている。そのとおりであろう。

が、かれらの側に立っていえば、かれらははるかな古代はともかく、史上に鮮明な姿をあらわすころには純粋遊牧でなく、半牧半農の生活になっていた。半牧半農というのは、中国大陸を征服するときは軍事化された「牧」の力でやるが、征服して漢民族の制度や文化をとり入れたりする段になると、固有に持っていた「農」の思考法でもって、本来、農耕社会である漢民族社会を理解し、その面では基盤が同じだけに、同化してしまうのである。結局は、漢民族の海の中で消えてしまう。

モンゴル人は、純粋遊牧であった。

かれらが中原を席巻して元帝国をつくったときも、農耕化しなかった。

遊牧をもってもっとも高貴なものとした。

元帝国は、官僚・吏僚の採用に、人種的等級をつけた。この等級をABCでいえば、モンゴル人がA級であり、大官になりえた。アラビア人やイラン人がB級であり、その高級補佐官になりえた。漢民族はC級で、どういう秀才でも事務員程度の等級しかもらえなかった。

これは、選民意識だろうか。

むしろ、民族としての業種によるとみたほうがわかりやすい面もある。たとえば、旧満州で遊牧をしているツングース族については、モンゴル民族は他民族として軽蔑してもいいのだが、かれらが遊牧をやっているかぎりはモンゴル人なみのA級とし、農耕をやっている部族については、漢民族なみのC級におとした。

元帝国が、遊牧生活者をそれほど貴しとした理由は元帝国の軍事優位の維持など、多くの事が考えられるが、要するに、農耕というものが民族をほろぼすということを、半牧半農のツングース族の興亡をみて知っていたのであろう。つまりは、小麦や野菜は、食物という以上に、モンゴル人の敵だったのである。

そのいわばおそろしいものが、いま食卓の上の皿に載っているのである。勇をふるって調理したのは、むろん、ホテルの調理場のモンゴル人コックであろう。

私の皿に載っているのは、ホウレン草に似た濃緑色の菜っぱの油いためとジャガイモのから揚げだった。

「ツェベックマさん」

と、むかいにいる私と同年の日本語の権威の名をよんだ。この野菜の名称を知りたかったのである。

「これ、モンゴル語で何というのですか」

「これ？　これはノゴよ」

彼女は自分の皿のものを指さし、きょとんとした顔で答えた。ところが私のとぼしい知識では、ノゴというのは単に野菜という意味であるはずだった。

「いや、名前だよ」

私は彼女と学生時代の友人のような気持になっていて、ぞんざいな言葉をつかった。

彼女もそういう日本語会話の気分をよく心得ていて、

「ノゴガンともいうわよ」

と、優等生が劣等生を教えるようにして言った。さらに、フヘ・タリヤンという言葉もあるわ、

と教えてくれた。

私はありがたく思い、そのいちいちを手帳に書きとめておいたのだが、いまこの稿を書くにあ

たってその手帳をひらいてみた。ところが辞書をひいて照合してみると、彼女が教えてくれた言

葉のすべてが、単に普通名詞の野菜という意味で、この原稿のこのくだりになって、いまやられ

たという思いでいる。彼女にしてなお、野菜のいちいちの固有名詞などどうでもよく、単に野菜

であればよいではないかという思想でいるのであろうか。

しかしながら、いまやモンゴル人民共和国の国営産業のなかに、　農業も入っているのである。

「リンゴもできますよ」

と、ツェベックマさんがいった。いまはすこし時季が早いが、もうすこし経てば、小さくて甘

いリンゴが食べられます、と言い添えた。

国営農場は三十余カ所もあり、この食卓にあるパンもジャガイモも、みな国産だという。

「おどろいたな」

「なにが？」

「モンゴル人が野菜を食べるなんて」

堕落だな、と言おうとしたが、彼女のほうが脂肪のたっぷりした白いのどくびをみせて大笑いした。農業といっても人間のためのそれは小麦か何かぐらいのもので、主として家畜の飼料をつくるのだ、と教えてくれたのである。私は、ひそかに安堵した。偉大なるモンゴル民族が野菜を食ったがために滅びたなどというようなことがあれば、紀元前から営々（？）とそれを拒否してきた先祖に対して相済まぬではないか。

食堂の正面に舞台がある。

いつのまにか楽隊がならんでいて、大小の楽器をかかえてがちゃがちゃやり出した。私は音楽がにが手で、どんな名曲でもただの騒音にきこえるのだが、横の人にきくと、音の出し方は大変うまいということだった。

ツェベックマさんは日本という国を見たことはないが、日本語はラジオでよく勉強していて、私に、オンチですか、ときいた。

「オンチ？」

私は考えた。私は大演奏会などに二、三度しか行ったことがないが、かねがねパチンコ屋から聞こえてくる音楽（？）などを歩道で耳にして、ああいう大騒音に堪えられる耳のほうがオンチというべきではないかと思っている。

「なんの曲ですか」

と、それでも私は、せっかくだから、お世辞で、ツェベックマさんにきいてみた。

「ピンキーとキラーズです」

当然、私は驚いた。彼女はその曲名まで教えてくれたが、食卓ごしの会話であるため私の耳にまでとどかなかった。

「これは、私どもへの好意ですか」

「そうだと思います。でも、みんな、好きなんですよ」

「なにが」

「日本の歌が。歌曲、歌謡曲、それに映画主題歌」

モンゴル人には、日本のメロディが適うのだという。

「血は水よりも濃し」

と、つねづね、物事にあまり軽快でない私が、モンゴル独特の透明な蒸溜酒に酔って、小さなグラスを挙げた。

グラスを挙げたのは日本とモンゴルのためにではない。この両民族のために「血は水よりも濃し」などといえば、昭和前期、日本の特務機関が内蒙で工作しつづけた汎モンゴル運動の主題になってしまう。ここではとりあえずツェベックマさんと私のために、その言葉をいった。

日本で流行している歌がモンゴルでも愛されるというのは、言語生理の関係が大いにあるであろう。

日本人にとってモンゴル語学習というのは、日常会話程度なら、東京の人間が古い津軽弁か古

い薩摩弁を習う程度の努力で十分だと思われるのである。テニヲハという膠で単語をくっつけて
ゆく膠着語であるという点でどちらもおなじだし、発音も子音の多い朝鮮語ほどむずかしくない。
こういう言語生理の中から出てくる歌は、たとえばモンゴルにも追分や御詠歌にそっくりな節
まわしの古い唄があることを思うと、メロディとしてどうしても似てくるのではないか。

「娘がね」

と、ツェベックマさんがいった。

彼女のお嬢さんは、レニングラード大学で電子工学を勉強している。ウランバートル大学にも
むろんその学科はあるのだが、中学以来の成績によって外国留学がゆるされる。ついでながら彼
女は、そのお嬢さんを東京の大学に留学させたかったのだが、残念なことにそのときはまだ国交
がなかった。

「娘がね、休暇で帰っているんです。きのう、お友達を招んで騒いでいたけど、かけていたレコ
ードは『星影のワルツ』ですよ」

食堂のうしろのほうで、いつのまにかテーブルが片づけられて、ダンスがはじまっている。
外国留学の学生たちが帰国して、さきほどからおおぜいでパーティをやっていたのだが、かれ
らがフロアへ踊り出てきたのである。

私は歌舞音曲には無知で種類が弁ぜられないが、ゴーゴーのようでもあった。

ツェベックマさんを見ると、意外にも渋面をつくっている。

「あれは、ゴーゴーですか」

モンゴルにきてそんなことをきく馬鹿もないものだが、ところが彼女はだまってかぶりを振ってみせ、

「私は、ああいう若者の風俗がきらいです」

と、いった。

人民たち

モンゴルは社会主義国といっても、元来、人民そのものが大らかな遊牧民族であるせいか、全体の空気がゆったりしている。

ウランバートルの町を歩いていても、政府が人民を教育するための宣伝ポスターなどはない。

「宣伝ポスターがありませんね」

と、ホテルのロビィで親しくなった筋肉質の四十男（これは想像だが、かれは警察権をもつ警戒要員らしい）に話しかけたところ、かれは単に、

「バイコエ（ない）」

と答えただけだった。べつに深い考えから出た返答ではなさそうで、たとえば、モンゴルに味噌汁がありませんね、と問いかける場合でも、バイコエ、と答えるにちがいなく、それと同じ感じだった。

この四十男は、いつもロビイにいた。軍服の似合いそうな引き締まった顔の男で、ちょうど私がホテルを出ようとしていたとき、真黒な雲が一抱えばかり、ブルガリア大使館の上あたりに出ていたので、雨が降るだろうか、ときいてみた。もっとも、私は雨という言葉が思い出せず、

「空から水が落ちてくるだろうか」

ときいてみた。

かれは私の肩を叩いて、雨という言葉を教えてくれた。ボロンだった。モンゴル語には擬音から出た言葉はすくないのだが、ボロンというのは、日本語の擬音感覚でいえば、なんだかおかしみを感じさせる。

かれは早口で何か言い、雲を指さし、さらに自分の腕時計をのぞいてみせた。私には聞きとれなかったが、何十分かのちに降るぞ、と警告してくれているように思われた。

それでも、私は出た。

べつにあてはない。

政府の宣伝ポスターがあれば見たいという気持はあったが、それもめめあてというほどではない。

私は日頃、昼風呂に浸って手足を伸ばすような気分でのアナーキーな衝動というのをのべつ感

じていて、この気分が奪われることだけは勘弁して貰いたいと思っているが、権力というのは元来、そういう気分を好まないらしい。

「米英撃滅」「欲しがりません勝つまでは」などと、念仏かお題目のように、権力が人民に唱えさせていた時代が日本にもあって、なかなか盛大なポスターばやりの時代だった。そういう国家にあっては、敵である米英よりも、内部のアナーキーな気分（人間は大なり小なり、気分的アナーキストなのだが）のほうがむしろ敵だった。むろん、敵である米英にはとても勝てっこない。しかし人民には勝てるという事情もあり、だからこそかさにかかって「米英撃滅」などと軍国政権が、人民という弱敵に斉唱させていたにちがいない。

極端にいえば、権力が標語ポスターを考えたり作ったりする創作意欲というのは、根を洗っていえば、人民こそ敵だと思うときに――逆説だが――はじめておこる〈創作意欲が〉のではないか。

モンゴル人民共和国というのは、どうもそのあたりが、気楽にできているらしい。猿は生れながらにして猿だが、人間は生れたままでかならずしも人民になりうるものではない。国家というものが一定の教育をして人民たらしめる。このあたり、生きものとしてはまことに苛烈な条件を背負っている。

もっとも人間はさまざまだから、ときに国家によって規定された人民という定義に、その人間が不器用なあまりあてはまらないか、あるいは人民としての規定に積極的に反抗する人間が出てくることもありうる。そのときは、国家は「人民の敵」として猿のように檻に入れてしまうか、

殺されるか、まれに追放されたりする。　　猿からみれば、人間というのはよほどつらい動物だといういうことになるにちがいない。

日本国家は、明治期に、小学校教育を重点としてさかんに国民教育をやった。それまで単に「百姓」とよばれて、弥生式時代の村落人とさほど変らない生活をしていた村落民住人が、にわかに国民という、多分に抽象性を帯びた存在になった。

たとえばフランス革命が国民を成立させたという意味では国民は進歩的な概念だし、また明治憲法発布後の明治国家にあっては、「国民」の成立が近代国家の必要条件だという、いわば国家がその必要を認めたということで、成立した。国民である以上、民権も多少認められた。

中江兆民はこれを、「恩賜の民権」という言葉で嘲弄した。「イギリスやフランスの民権は、回復の民権（人間が生れながらに、つまり天賦として持っているはずの権利を回復したという意味）です。下からすんで取ったものです。ところがまた、別に恩賜の民権とでも言うべきものがあります。

……恩賜の民権は、上から恵み与えられるものだから、その分量の多少は、これらが（人民が）勝手に決めることはできません」と、兆民はいう。

そのようにして明治期に日本国家の人民（国民）は成立したが、それでも政府の宣伝ポスターのたぐいは、無いか、無いにひとしかったように思える。

昭和期に入り、とくに昭和十年代に入ると、事情が一変した。政府がさかんに「国民」たるべきことを教育宣伝し、単に人間であるという状態を否定し、それどころか非国民というふしぎな

言葉までできた。

モンゴル人民共和国にも、多少はポスターがはんらんする時代もあったかもしれないが、とも

かくも、こんにち町を歩いていて、それが目につくことがない。

（モンゴルでは、人間を人民にしなくてもいいのか）

と、ふしぎに思ったが、むろん、そういう寛大さは、モンゴルにも政府が存在する以上ありえ

ない（ついでながら、人間の世の中が厄介なものであることは、人間がなまで地上に存在してい

れば、他の国の人民がやってきて、そこを植民地にしてしまうのである。すくなくとも十七世紀

以後のモンゴル人はそういう目に遭った）。要するに街頭にポスターこそないが、モンゴルでも、

学校教育や演劇などを通じて、人間を、国家の規範にあてはまる人民たらしめるべく努力はなさ

れている。しかしそれが街頭にまで進出してあふれていないのは、革命後半世紀を経て、人間が

人民であるという状態に熟れているせいなのかどうか。

ひとつには、この国が遊牧社会のまま、その社会の良さを保ちつつ、社会主義国家になったせ

いかもしれない。

モンゴルの遊牧社会の良さというのは、たとえば泥棒が、在来、比較的すくなかったことであ

る。

モンゴル人が十三世紀に外界に対して伸張し、ついに世界帝国をたてたことは、言いかえれば

民族ぐるみの大泥棒だったといえるし、その後も中国の農耕社会へ群れをなして盗みにゆくとい

が、他の農耕社会にくらべてすくなかったといえるかもしれない。

う例はないではなかったが、しかしかれらの内輪の生活のなかでは、他人の物を盗むということ

これについて、私は小さな経験をした。

私の部屋のドアのカギがかかりにくく、故障しているのではないかと思い、フロントの中年婦

人に言いに行った。彼女がむっつりと（モンゴル人は一見無愛想である）やってきて鍵穴に突っ

こんでガチャガチャまわした。呼吸を心得ているのかうまくゆくのである。しかし私がやると、

うまくゆかない。

私は鍵穴をたたいてみせて、

「良きものにあらず」

と、言ってみた。

すると、大柄の彼女は私の目をじっと見つめて、やがて、モンゴルには泥棒はいない、といっ

た。彼女は要するに、鍵なるものは泥棒をふせぐためにある、泥棒のいない国に本来鍵などは要

らないのだ、ということを言いたかったらしい。

東京外大の小沢重男氏の著書（『現代のモンゴル』）によると、氏は一九五九年、国際モンゴル学

者大会に行った。

ある日、カメラを街に置き忘れた。そのまま宿舎に帰って翌日気がついたのだが、さがしに行

ってみると、きのう街の銅像の土台石の上に置き忘れたときのまま、つまりそのままの位置で置

かれていた。

そんな話を、崎山代理大使夫人に話すと、彼女はひどく共感して、べつの話をしてくれた。日本の折詰弁当などについている小さな鯛の形の醤油入れがあるが、彼女はホテルの食堂でそれを使った。当然、それを使いすてにして食卓に置きっぱなしにしておいたところ、あとで食堂の従業員たちが大さわぎしたらしい。落とし主をさがして三日目に日本人のものだということがわかった。夜、大使館のドアをたたいてそれを届けにきたというのである。堯舜の民のようなこの古朴さは、本来のものなのか、それとも社会主義的美徳なのか。

もう一つ、似た経験を私はした。街で子供に出遭った。まだ就学年齢ではなさそうな男の児で、その児に、モンゴル語の発音を習おうと思い、ためしに君は学校へ行っているのか、ときいてみた。通じにくかったが、学校という言葉をくりかえすと、かれも理解し、私の発音をなおしてくれた。

ところで、私は、ポケットの中にチューインガムを持っているはずだった。平素そういうものに嗜好はないのだが、モンゴルの乾いた空気でのどが痛むかもしれないと思ってポケットに入れてきた。ところが、一包みしか残っていなかった。それを教授料として進呈すると、かれはすぐその包みを剝がした。そのあと、自分のまわりにいた子供たちの人数をかぞえて、公平に分配した。

この幼児たちのごく自然な公平分配の習慣は、社会主義的人民の子だからというものでなく、太古以来、天幕の中でおこなわれつづけてきたものであるように思える。

清朝末期のモンゴル人は、当時の庫倫（ウランバートル）の経済をにぎる華僑高利貸のために、一部の僧や諸侯をのぞいて、乞食以下の暮らしに堕ちていた。そのときでさえ、モンゴル人による泥棒はまれだったといわれる。

中国語の革命（ケーミン）という言葉はかがやかしいことばだが、その言葉は中国の辛亥（しんがい）革命（一九一一）のときにモンゴルに輸入された。

この言葉を、モンゴル人は訛（なま）って「ガミン」と発音した。ガミンはモンゴルに入ると革命という意味をうしない、泥棒という意味になった。くわしくは、「中国兵による暴行・掠奪」という意味として定着したのだが、そのガミンたちの掠奪からのがれるために、モンゴルの独立運動がおこったといっていい。独立運動はやがて社会主義革命に移行するのだが、農耕段階も工業段階ももたない草原の遊牧社会にはたして社会主義が成立しうるのかということが、当時、一部で疑問視されていたらしい。

モンゴル革命とその熟成には当然紆余曲折（うよきょくせつ）があったが、しかし他の生産形態をもつ国よりもかえってあっさり熟成（社会主義的人民の成立という意味で）しえたというところもある。その理由のひとつは、この民族に私利追求の伝統がかぼそくしか存在しなかったことにもよるといえるかもしれない。

いずれにせよ、街に政府の宣伝ポスターが見あたらないのである。ひとまわりしてホテルに帰ろうとすると、歩道で大男の酔っぱらいが二人、なぐりあいの喧嘩をしていた。

分け入ると、一人はあっさり行ってしまったが、残った男が私の肩をつかんでしつこく掻き口説きはじめた。モンゴル人特有の糞力だし、第一、何を愚痴っているのか、さっぱりわからない。

そこへ、じつに偶然なことに、例の男がやってきた。

ホテルのロビーにいつもいる——どうやら特殊な警察要員らしい——筋肉質の四十男である。かれは、私が単独で町へ出かけたことで、おそらく義務として尾行してきたのであろう。かれは酔っぱらいに近づくなり、ひどく簡単に私をひきはなしてくれた。そのあと、例の黒い雲を指さして、

「雨が降るから帰りましょう」

と、笑顔でいったのは、いかにも機智に富んでいるようで、かれの職務に不快さは感じなかった。

その夜、眠りづらいままにベッドで本を読んでいると、窓の下の路上を、わめくように歌をうたい流してゆく酔っぱらいの声をきいた。

「モンゴル人は中国人とちがい、酒に弱くて、すぐ人格がだめになります。そういう所まで日本

人と似ています」

とツェベックマさんが顔をしかめて言ったことを思いだした。しかしそれにしても、深夜一時にこの大草原の町を酔っぱらった人民が歩いているというのはいかにも天地正大という観があるし、ひるがえってここが社会主義国であることを考えると、人民に対する規制がひどく大らかそうにも思える。

故郷とは

ツェベックマさんはつねにさりげなくふるまっているが、その頭脳は第一級のものだし、他人に対する感覚の濃かさにいたっては、ときどき驚かされた。

「日本人もモンゴル人もお酒に弱い」

といって、声をたてて笑ったのも、その感受性のあらわれであろう。私が、街で大男のモンゴル人の酔っ払いにからみつかれたという話を彼女は愉快そうに聴きながら、このひとことで、モンゴル民族の名誉？　を救済したのである。

だから可愛いんだ、という母性的な感情の中から彼女はいったために、すぐ酒に酔うという日

蒙両民族の名誉は救い出されている。

私はかねて酒席における中国人の態度が堂々としていて、どれほど飲んでも節度を保っていることに畏敬の思いをもちつづけているが、それにひきかえ、日本人はなぜわずかな酒で軽躁になってしまうのだろうとふしぎにおもっていた。アメリカ・インデアンもそうである、という話を聞いたり読んだりした。もっともアメリカ・インデアンの酔っぱらいぶりはもっとすごい、とも言う。

いずれにせよ、モンゴル人も日本人も酔っぱらえばメロメロになるという彼女の観察は、変におかしかった。彼女は娘時代を満州蒙古の草原で送ったが、ときにハイラルの町などに出てきて日本人の酔っぱらいを見たとき、(モンゴル人とおなじだ)と思ったのであろう。娘時代、土地柄、中国人にも多く接したはずで、そういうことから、彼女の酔っぱらいについての比較民族学ができあがったにちがいない。

夕食の席で、フロアでゴーゴーを踊るモンゴルの若者たちを眺めながら、私は強い蒙古蒸溜酒(モンゴル・アルヒ)のために、首筋がズキズキするほど酔ってしまった。

すでに触れたように、彼女はそういう若者たちにつよい不満を持っている。

「こまったものです」

彼女はその白い顔をしかめるのだが、しかしわれわれから見れば、社会主義国がこうまで若者

の若さの発散（発散のしかたがどうも西欧的でありすぎるのは別として）に対して寛大であることは、モンゴル人民共和国の誇りであってもいいではないかと思えたりする。

フロアを見ると、どの若者も踊りがうまい。

みな、背広を着ている。

モンゴル人には中国人や日本人によくあるような優男という顔つきはまれで、みな武骨そのものの顔だし、なかに飛びきり踊りのうまい若者など、遠目でみても大猪首であり、岩のような顔を振りたてては、手足をくにゃくにゃさせている。

「あの子が、いちばんうまいんですか」

「もういいですよ、あんな連中のことなんか」

と、ツェベックマさんが手を振った。

が、見物の価値は十分ある。

フロアで踊っている若者たちがぜんぶ秀才であることはまちがいないことで、かれらはソ連および各国の大学に留学しており、いま休暇で帰ってきているのである。国外留学生に選ばれる子が飛びきりの秀才であることはすでに触れた。

かれらが選びたがる専攻は理工科系で、法科や経済はあまりゆきたがらない。法科を出ればやがては国の政治にたずさわらねばならないが、その世界に入るとソ連との関係などでつらいことが多く、そのために学生たちは敬遠する、ということも、どこかで聞いたことがある。ツェベッ

クマさんにそれを確かめたかったが、差しさわりがありそうなので遠慮した。

しかし、モンゴルの若い秀才たちが、文科系へゆきたがらずに理科系を志向するというのは、モンゴルの建設のためにはいいことにはちがいない。

「かれらが、ですね、ツェベックマさん。どういう専攻を選ぶかということは、かれらの自由ですか」

「自由ですよ」

と、ツェベックマさんがいった。

ツェベックマさんにすれば、昔のように、若者たちが大人たちの末席でお行儀よくしていることを望んでいるのかもしれない。

この食堂での大人たちの席は、静かに会話がおこなわれている。そこへ、暴風のように音楽が鳴って若者の群れがフロアへすべりだした。彼女にとって、ゴーゴーという現代的なものへの反発というより、大人への配慮をうしなった若者の暴慢さのほうが不愉快なのだろう。彼女も、五十歳になったのである。

彼女のひんしゅくは、あるいはそうではないかもしれない。

――草原で羊たちの世話をしている同世代の若者たちのことを思え。

という場所から出たものだろうか。

ここで踊っている若者たちは、将来の国家の中核になるひとびとで、草原で働く同世代の若者たちの労働のおかげで国外留学をさせてもらっているのである。こんなに、人も無げに国外の新風俗を享受していていいのか、という気持が、彼女にはあるのだろうか。

……私は、ベッドに入ってから、ツェベックマさんのことを考えた。

彼女は、モンゴルの詩人がいかにすぐれた詩を書いてきたかということを、あの食堂で、白い食卓ごしに、身を乗りだすようにして私に語った。それも、故郷を主題にした詩がいいのです、それらがどんなに深くわれわれの心を打ちますか、残念ながらあなたにその感動を伝える言葉を私は持たない、それがもどかしい、といった。

モンゴル人にとって故郷というイメージは、どんなに悲しく、どれほど心を慄わせ、どれほどはげしいよろこびを心に与えるものか、私はそれをうまく伝えられない、と彼女はいうのである。

故郷というのはわれわれ日本人にとって山と谷と小川というせせこましい形象のものだが、モンゴルのような茫漠たる大草原でも故郷のイメージは成り立つのかと思い、ふしぎな思いがした。

「故郷とは、このモンゴル人民共和国の草原のことですか」

「そうです」

ツェベックマさんはうなずく。

「それとは別に、個々のひとびとにも、それぞれが生れた故郷への想いというものはありますか」

「あります」

　彼女はいう。われわれにはどこを向いてもみな同じような景色に見えてしまうが、おそらくこれは狭い国にうまれた者の想像力の貧困によるものかもしれない。モンゴル人は、この雄大な天と地の一角をそれぞれが切りとり、これが自分の故郷だというふうに、単に形象であるという以上の、遙かな詩情と濃かな思想をそれに籠める。

　モンゴルの近代文学の父とされる詩人ナツァグドルジ（一九〇六〜三七）に「美しき地」という有名な詩がある。以下の詩の訳は、米国のアジア学者オーエン・ラティモアの『モンゴル』（磯野富士子訳）から引用させてもらうことにする。

　ヘンテイ・ハンガイ・ソョンの高く美しき嶺々
　北の方の飾りとなりし森林におおわれし山々
　メネン・シャルガ・ノミンの広大なるゴビ地帯
　南の方の面となりしひろく続いた砂丘の海々
　これぞわが生れし故郷——モンゴルの美しき地。

　ツェベックマさんの生れ故郷は、北方アジアに属するこの広大な高原でなく、その高原が東にのびて旧満州に入ったあたりの草原である。

彼女の胸にはその故郷の草原への思慕の泉が涸れることがない。しかしそこは、中国領になっていて、もはや行くこともできない。

その故郷に、小さな（と私は想像するのだが）川が流れている。これも想像だが、彼女は少女のころ、馬を駆ってその小さな川まで水を飲ませに行ったであろう。この川のほとりで気象の秀でたモンゴルの青年と恋愛し、結婚し、やがてその青年は学者になった。しかしながらいまはその青年はいない。

モンゴルの現代詩人は飽くことなく故郷を詩うが、私もそれらの詩的気分の中で言うとすれば、その川はなお彼女の胸の中で流れつづけているし、さらには彼女の一人娘の名前にもなっているのである。イミンという。イミンちゃんという場合は、イミナとよべばよい。

彼女の場合、故郷の詩は、イミナとして存在しているのである。

イミナが、いまレニングラード大学で電子工学を学んでいるということは、すでに触れた。

「私も、もう五十だから」

と、ツェベックマさんがいった。子供に遺してやるものを考えなくてはいけない、それには自分が一生懸命勉強した日本語が一番いいと思い、イミナに日本語の勉強をしたらどうかとすすめてみると、娘は素直に、じゃ勉強してみる、といったという。すこしずつ教えるつもりです、と彼女はいった。

イミナは休暇で、いまウランバートルに帰っている。つまり、このフロアで踊っている若者た

ちと、おなじ留学生仲間なのである。

ツェベックマさんは娘をレニングラードにやるとき、娘が都会の風に染まってモンゴルという

この故郷をバカにするような子になったらどうしよう、と思った。

よほど、それが彼女の頭痛のたねだったらしい。イミナが大学生活を一年終え、最初の休暇で

帰ってくるというとき、彼女は息を詰めるようにして待っていた。もしそういう娘になって帰っ

てきたら、彼女は、モンゴルの詩人たちの故郷の詩を百ぺんも朗読して、都会にあこがれるだけ

の浅薄な娘の性根をたたき直さねばならない、と考えていた。

ところが、イミナが帰ってきて、母娘でご飯を食べているとき、

「モンゴルは、みな本物ばかりなのね」

と、母親にいったのである。

「よその国の都会も自然も、みな作りものみたい。草までそうよ」

乾燥した高原にあるモンゴルの草は、香芝と名付けたいくらいに強く匂う。しかしよその国の

草は匂わないということをイミナは発見して、まず最初にショックをうけたらしいのである。

「池だって、造った池で、モンゴルのように本当の池じゃない」

ともイミナは言ったらしい。大自然をたっぷり残しているロシアへ行ってさえ、イミナはそん

なふうにショックをうけて帰っているのである。モンゴルの自然がいかに豊かで大きく、かつ本

物であるかがこの一事でもわかるであろう（この娘を日本によべば卒倒するのではなかろうか）。

イミナには、その後、会う機会がもてた。母親似の色白な美人で、背は一七〇センチはありそうだった。黄色いパンタロンをはいて、ショルダー・バッグを無造作に肩からぶらさげ、新宿あたりで男の子と議論しながら大またで歩いてゆく気のきいた女子学生といった感じだった。

イミナは、だから卒業したらモンゴルに帰る、といって母親を安心させた。

彼女のような場合、帰ったらどこへ勤めるのかときくと、ツェベックマさんは、

「科学アカデミーから派遣されているから、卒業すれば科学アカデミーに戻って、そこでお勤めするのです」

と、いった。

……なるほど、故郷としては、モンゴル高原ほどそこに生れた者にとって強烈な故郷はないかもしれない、と私はベッドの中でおもいかえした。

私の小さな経験では、海辺という、単調な水平線を見て少年時代を送った人はわりあい故郷を恋しがらず、地形の複雑な山の中育ちの人ほど、年をとると故郷を恋しがるということのように思えるのだが、この法則？　からすれば、いわば一望海のような大草原のなかで育ったモンゴル人の故郷感覚はどうなっているのだろう。このことは、昔からふしぎに思っていた。

そのあたりのふしぎさが、このイミナの話で解けたような気もしたが、しかしさらに考えると、まだわからない感じもある。

もっとも、町育ちの私などはわかる資格はもともとないのであろう。現在住んでいる町にいた

っては、木もなければ草もない。

要するに、人間という自然的存在は、当然、自然を必要としている。さらには決してプラステ
ィックではありえない人間の心というものは、当然、木とか草とか川とかに倚りかかるときにの
み息づくものだが、それらの自然物の稀少な環境からやってきて、大自然のなかに生きているモ
ンゴル人たちの故郷に対する思慕の根を探ろうというのが、元来、大それたことなのである。

十三世紀、モンゴル人は世界に流血を強いる大遠征をやったが、その西方への遠征に従軍した
無名の兵士が、白樺の樹皮を剝いで詩を書きのこした。その詩が、田中克彦氏の『草原と革命』
（晶文社刊）に出ている。詩は、望郷のなげきをうたう。

　今やときぞ、我とびたたん
　我は呼びかく
　我が母に、何にもましていとしき母に
　山は草に満ち
　愛する兄弟ら、まさに来んとす
　今こそ我、故郷に帰らん
　常に故郷に在らんがために

ゴビへ

馬頭琴をひく

ゴビへ

夜があければ、旅客機でゴビへ行くことになっている。このことが、この夜の私の眠りを終夜浅くしていた。

天候のことだった。天候がわるくて飛行機が飛ばないのではないか、という不安だった。モンゴルの国内航空はすべて有視界飛行なのである。田舎じみて質素なウランバートル空港を額ぶちのように縁どっている丘陵の上に密雲がかぶさってしまえば、あのちっぽけなフレンドシップ型に似た飛行機は飛ばないのである。

この北アジアの大乾燥地帯の真夏の空というのは、元来、飛ぶ鳥まで染まりそうなほどに濃紺なはずなのだが、われわれは、世界中の気候が狂っている時期にきた。われわれが後にした日本は、空梅雨がつづき、そのあと異常乾燥の夏に入り、日本砂漠などという造語まで新聞に出るようになっていた。われわれの国の島々は資源もなにもないが、雨だけが豊かに降る。そのおかげで弥生式農耕がはじまって以来、二千年このかた、人口がすこしずつ

ふえてきたのだが、水の涸（か）れた日本などというものは、根底から成立しがたいのである。

それとは逆に、モンゴル高原に雨が降りすぎれば、この乾燥地帯で三千年来営まれてきた生産が、根底から成立しがたくなるのである。牧草が伸びて結構じゃないかと当初思っていたことは、日本式の稲作百姓の浅智恵というものだった。

いま、さかんに草が刈り入れられている。それが高原のあちこちに積まれてからからに乾いた干し草になり、それを冬季、放牧動物たちが雪の下を掻きわけてさがしもとめ、冬一ぱいのかれらの食糧になるのだが、その干し草が夏季の雨のために腐ってしまえば、冬、羊や馬たちは餓死するしかない。このことは、すでに触れた。ともかくもこの土地にきて雨雲を見るたびに、胸のうずくような思いがするのである。

「日本人が雨をもってきたんじゃないか」

と、崎山代理大使が、英国大使か誰かにからかわれたそうである。日本の大使館は七月に開設された。以来、本国の日本は乾きつづけで、この標高一四〇〇メートルのモンゴル高原は降りつづけだった。

ともかくも天候が気になり、夜明け前に目がさめてしまった。窓越しに空をみると、星がなかった。やがて明けはじめると、空が不透明なカーテンがかかったように赤黒くなり、やがて明けきったころには、雲が濃い灰色を呈した。ちょうどブラマンクの絵にある嵐の前の雲のように、あらあらしい刷毛のタッチで空が黒く刷りあげられていた。

ゴビへの飛行機は飛ばないかもしれない、と不安がつのった。

ともかくも支度だけは整えて、ロビィに降りてみた。
ツェベックマさんが、フロントから飛行場へ電話をかけに、
できるだけ飛ぶように努力してくれ、という内容のようだった。ゴビへゆく飛行機は飛ぶか、
彼女は、朝五時ごろから電話をかけつづけてくれているらしい。

「飛びますか」

と、私はきいてみた。

彼女はそれには答えず、努力してみます、さあ朝ごはんにしましょう、と私をうながして食堂
へさそった。午前七時ごろだった。

食卓から、大きな窓ガラス越しに、空が見える。窓いっぱいに雲が蔽っていた。

「あの雲が晴れればね」

と、ツェベックマさんがいった。

私は馬乳酒を注文して飲んだ。ドンブリに一杯ほどの量を飲む。モンゴル人なら、一食に三杯
ほども飲む。三パーセント以内のアルコール分があるから辛うじて酒だが、しかし子供でも婦人

でも、毎日、驚くほどたくさん飲む。

「モンゴル人は、これと、これを蒸溜した酒と、それに羊の肉さえあれば上機嫌なのです。あと
の贅沢はあまり考えませんな」

と、どのモンゴル人もいうはずである。

アイラグ（馬乳酒）ブィラグ（馬乳酒）　馬の乳というのは牛乳とはちがい、生で飲むと下痢してしまう。それを醱酵させると飲み物に

なるし、日持ちもする。モンゴル人はこの馬乳酒という乳酸飲料と茶でもってビタミンを補給している。

人類の歴史でもっとも古い遊牧民族は、前六世紀から前三世紀にかけて活躍したスキタイであるとされる。スキタイは黒海のそばの草原地帯を遊牧地とし、その種族は、かれらが遺した金属彫刻によって印欧系であると想像されており、その生活文化については、前五世紀のギリシャの歴史家ヘロドトスの『歴史』に紹介されている。すでにそこに包（バオ）が出現しており、馬乳酒もさかんに飲まれているのである。

包と馬乳酒は、モンゴル人のみの固有の生活文化でなく、乾燥アジアにおいて数千年来遊牧してきた諸民族にとって共通のものであり、普遍性をもつという意味で「文明」の重要な要素のひとつといっていい。

馬乳酒は、よほどのんびりした時間感覚のなかでなければ、作られがたい。材料の乳は馬にかぎらず、駱駝でもかまわないが、馬の乳のほうがうまいとされる。もっとも私は駱駝のほうも飲んでみたが、区別ができなかった。

木桶か革桶の中にナマ乳を入れ、それに醗酵のたねとして古い馬乳酒の残りかすを入れる。そして数日のあいだ、なるべく絶えまなく掻きまぜるのである。

この旅の日程のあとのほうで、草原の包を訪ねたとき、その包の主人が自慢の馬乳酒を桶ごと出してくれた。

「おれンとこの馬乳酒は評判なんだ。何杯でも飲んでくれ」

といって、すすめた。私がドンブリ一杯を飲むと、待ちかねて注いでくれ、つごう三杯も私に

飲ませた。そのとき、主人は、

「八日もやったんだ」

と、いった。やるというのは木の棒で掻きまぜることで夜もときどき起きてやる。最初の二日

ほどは、夜ほとんど眠らずに掻きまぜる。

私がかつて観た紀行映画では、そのおやじはシルクロードのオアシスの樹の下でこれをやって

いた。そのおやじはイラン系の顔をしていて、ひげだらけだった。かれはナマ乳を革袋に入れ、

手をひろげてその両端を持ち、風琴を奏でるようなかっこうで、ひねもす、その革袋をチャブチ

ャブとうごかしつづけているのである。そのときの映画では醸酵のたねは乾しぶどうだった。三

粒も入れておけば、ちゃんと馬乳酒になるようで、四、五日で仕上がるというふうに話していた。

この労働量は資本主義的計算では大層なものになるであろう。

しかし遊牧の暮らしの中では、そういう計算は成り立たない。四、五日掻きまわしたあと、四、

五日で飲み切るわけで、つまり、それだけである。生産と消費という貸借が自己完結している。

午前八時半、ホテルを出て、マイクロバスで空港にむかった。ゴビゆきの飛行機が飛ぶかどう

か、ともかくも空港へ行ってみようというのである。

街も野も、雲の下にある。このため、私どもはモンゴルの真夏の朝としては、異例の気温のな

かにいた。

本来のモンゴルの夏は、大方のモンゴル人の顔の色がチョコレート色であるように、烈しい太陽光線が、乾いた空気のなかを太目の矢のように降りそそぐのだが、しかし早暁は真夏でも寒い。

夜明け前後の寒気は、日本の真冬よりも寒い場合もある。

が、この朝は雲がすっぽりかぶさっていたために、夜明け前後も半袖シャツで十分だったし、また太陽がすでに高くなっているこの午前八時半ごろにおいては、光線は予備知識ほど烈しくなかった。

すべて、厚い雲という、モンゴルでは余計者のおかげなのである。

やがてマイクロバスの窓いっぱいが、郊外の丘陵風景になった。丘という丘をみじかい草がびっしりと覆って、上質のビロードをかぶっているようである。緑の色調にときどき黒いぶちになっているのは、露頭している岩石だが、その岩石も動いたりする。動くのはむろん本物の岩石でなく、遠目には岩石のように見える羊のむれなのである。

須田画伯が、エンピツをかざすように上げて、そのあたりの景色を宙で掻い撫でつつ、

「阿蘇の草千里に似ています」

と、ひとりごとを言った。

須田画伯はきわめて純度の高い主観的思考者であるために、風景の比較作業は、もっぱらご自分の記憶のなかの景色を抜き出して来られて、いきなり仲間同士にされる。大噴火がつくった阿蘇のあの緩やかな傾斜というのはなるほど日本としては大きい景色だが、しかしこのあたりの風

景の大きさとは筋金が違うように思える。真夏でも一日のうちで寒暑をくりかえし、冬季ともなれば大地が地下何メートルにまで凍ってしまうというこの大地では、大地そのものがはがねのように鍛えられているといった凄味のようなものが感じられる。

午前九時、空港に着いたが、中ゴビから来るべき飛行機がまだ来ていない、ということだった。私どもはその飛行機に乗る予定になっていた。乗って、中ゴビよりもさらにむこうの南ゴビにゆく。ところが当の飛行機は天候がわるいため、中ゴビで居すわったきりだという。

むろん、悪天候というような天候でなく、日本でいえばちょっとした曇天程度の空模様なのである。

（飛べるはずだが）

と、ふしぎな気がした。

やむなく、ふたたびバスに乗ってホテルまでひっかえすことにした。資本主義国のように商業という果敢な条件の上で運航されている飛行機と、社会主義国のそれとはちがうのかと思ったりした。

ホテルにひっかえして待つうちに、地面を叩き掘るような勢いのスコールがやってきた。なるほど、空港の気象係はこれを恐れていたのかと思い、かれらの慎重さに敬意を表する気持にもなった。

ロビイにいて、スコールをながめていた。やがて歇むと、空があかるくなった。ツェベックマさんが、草色のモンゴル服に細い銀色のベルトを締めてやってきた。

「飛びますか」

「もうちょっと、ね」

といって、どこかへ行ってしまった。あとで知ったのだが、彼女はどうしても飛ばしたいと思って躍起になってくれていたのである。

この日は、土曜日だった。日曜日は国内飛行機は休みだから、ゴビゆきは月曜日まで待たねばならない。そういうことで、彼女はわれわれのために、困難な交渉をかさねてくれているのである。

午後二時ごろ、やっと飛ぶらしいということで、ふたたび空港へ行った。

滑走路には、中ゴビから飛来した双発のアントノフ24型が整備を受けていた。この飛行機はご苦労にも、南ゴビへゆくわれわれを乗せてふたたびゴビ砂漠を縦断せねばならないのである。

やがてタラップが寄せられ、私どもは機内に入った。乗客は私どものほか数人しかいない。

初老の男と隣りあわせになった。かれは灰色の古ぼけたソフト帽にモンゴル服、それにジンギス・カンの兵隊たちも穿いていたあの重々しいモンゴル長靴（ゴトル）といったいでたちで、いかにも羊飼いといった感じだった。

どこへゆくのか、ときいてみると、跳ねっかえったようなかん高い声で、

「ドントゴビィ……」

と、答えてくれた。

「飛行場のそばに包があるのか」

私は、ベルトを締めながらきいてみた。

「遠い」

「馬だ」

長靴氏はいった。飛行機に接続している乗り物が馬であるというのが、いかにもモンゴルらし

「すると、飛行場からバスでゆくのか」

くていい。

繰りかえしていうようだが、この大高原にあるモンゴル人民共和国のひろさは、フランスとス

ペインとポルトガルを合わせ、それに英本国を加えたほどに広大である。そこに住む人間の数は、

わずかに新宿区ほどにすぎない。一人あたりが占める空間が巨大なせいか、どのモンゴル人も風

貌や言語動作が鷹揚で、年をとると、たいてい、百騎か二百騎の士卒をひきいているような武将

顔になる。

この長靴氏もそうだった。

風に曝された岩石のようにいかつくて、微笑すると、白く大きな歯がのぞく。ゆったりと、質

問されるままに答える。ただ答えるつど、微笑はする。私が何国人であるのか、どこからきたのか、何の目的

で、決して、自分から質問しかけて来ない。私が何国人であるのか、どこからきたのか、何の目的

でどこへゆくか、などは、かれにとっては、その辺をとんでいる羽虫同然、ほとんど関心の対象

にならないかのようである。

ゴビ草原

ソ連製の五十人乗りAN24型機は、順調に南を指して飛行をつづけている。

窓から下をのぞいていて、やがて重大な景観の変化があったのは、一度きりだった。モンゴル語でいう緑草地帯が終り、赤い鉄さび色の大地が出現したときである。

（これが、ゴビ砂漠か）

何度も自問した。大正末期から昭和二十年までに、少年期を送った多くのひとびとにとって、単なる地理的呼称以上の文学性もしくは思想性を帯びた砂漠が、目の下に、限りない大きさでひろがっているのである。そのころの少年たちにとって、この砂漠の名称は呪文のようなものであった。この地理的名称を唱えるとき、中世の欣求浄土の念仏行者が阿弥陀如来の名前をくりかえし唱えたように、唱えることによってせせましい、日常の羈絆からにわかに解き放たれ、ひろびろとひろがる無償の理想的行為の可能な世界へとび立てるような錯覚をおぼえたものであった。

かといってゴビ砂漠が、モンゴル高原のどこからどこまでを占めるのか、明瞭でないとされる。この砂漠は国境をはみ出して南は内蒙古に及び、西は中国の甘粛省にまたがる。

砂漠というものの定義はべつとして、印象的に何を砂漠となすかといえば、サハラやタクラマカン砂漠のような大砂丘地帯が大方の固定イメージになっているのであろう。

ゴビ砂漠もそうに違いないということが、ヨーロッパ人の通念になっていたようだが、十九世紀以来の探険家たちの報告によって、意外にも砂だけの世界ではなく、地は固く、砂丘はあってもその多くは固定したもので、しかも、まばらながらぜんたいに草が生えていることがわかった（ただし、この上空から見おろすかぎりにおいては、大地の色はあくまでも茶褐色である）。

私は、となりのソフト帽のモンゴル人にきいてみた。

「この下」

と、何度もうなずいた。モンゴル語では見渡してあおあおとした大地をハンガイと言い、一方、遙かなる大地を指さし、「草、あるかないか」ときくと、かれは、

「バイナ（ある）」

漠然とみれば茶褐色にみえても地面に目を近寄せると、まばらに短い草が生えている土地をゴビという。つまりゴビという言葉は砂漠というのはモンゴル高原では存外すくないというが、しかしいうほどの意味である。純粋の砂漠というのはモンゴル高原では存外すくないというが、しかし私が窓から見おろしている大地はどうみても礒確たる不毛の地帯で、火星の地表といわれてもあるいはそうかと思えるほどの凄味がある。

色調は茶褐色だが、全体に濃淡があり、地形は乱雑なほどにさまざまな起伏をなしている。ところどころに銀箔を貼ったように鈍くか機上から見おろしているかぎりでは、道路はない。

がやいた部分が散在している。内陸湖らしいが、ときにそうではなく、湖が干上がって塩が露出しているだけの部分であるようにも思える。

あれは鹹湖か、と隣りのソフト帽にきこうと思って顔をみたが、鹹湖という言葉が私の仕込みのなかになく、やむなく、あれは塩気のある湖か、と組み立ててから口に出してみた。通じなかった。

「塩の水？」（ダブスン・ヌス）

と言い直すと、かれは気の毒そうな顔をして、自分は塩を持っていない、と答えた。

この岩肌と砂礫の海のなかでなにか変ったものが発見できないかと思い、窓ガラスに額をくっつけて目をこらしつづけた。が、点としても面としても、いっさい、変化というものがない。

このすさまじいほどの単調さに眠気を催してしまい、しばらく眠った。眠りこけてしまったらしく、ゴビ砂漠の景観は私の記憶の中では、そこでとぎれ、夢のなかの景色のようになってしまっている。

やがて、尻を突きあげてくる鈍い衝撃で目がさめた。

機体が、青い地面を滑走している。まわりはゴビ砂漠とは別天地のように平らかな緑草の野で、飛行機の高翼から伸びている車輪が、草を踏みしだいて土煙をあげている。

隣人が、いなくなっていた。あわてて降りようとすると、むこうの座席にいるツェベックマさんが、ちがう、ちがう、と制して、

「ここは、中ゴビ」（ジット）

といってくれた。

時計をみると、午後六時三十分だが、太陽は真昼のように照りかがやいている。機体がとまった。車輪のまわりに、子供が寄ってきて、タイヤを撫ではじめた。タイヤを熱くしている摩擦熱を楽しんでいるのかもしれない。その車輪と子供のむこうに、涯もなく草の海がひろがっている。

格別に飛行場などはない。

草原のどこを選ぼうと離着陸ができる。そこに三人ばかり、モンゴル服の人影がみえた。あとは、草である。それだけあるようだった。そこに三人ばかり、モンゴル服の人影がみえた。あとは、草である。それだけが、機内からみた中ゴビの都市としての景観であった。中ゴビを中心とするこの草原地帯だけでおそらく九州ぐらいはすっぽり入るだろうが、この広大な天地を、遊牧者とその家畜たちが独占しているのである。

やがて、飛行機が草原を蹴りすてるようにして飛び発った。

下は、海のような草原がつづいている。

こういう草の感じは、草の疎生地帯としてのゴビ（普通名詞）なのか、それともモンゴルの詩人がうたおうとするところの「うるわしき草原」なのか、そのことをツェベックマさんにきいてみた。

「やはりゴビですね」

と、彼女はいった。

さきにモンゴル人ほど、その生れ故郷を濃密な感受性で恋う民族もめずらしいのではないかということに触れた。モンゴルの現代詩人は、先人が詩いつづけてきたこの主題にすこしも飽くこ

となく依然としてそれぞれが数多くの故郷の詩をつくりつづけており、このことについては、政府筋から、もっと生産のよろこびを謳う詩をつくるべきではないか、と注意されたほどであるという。

「ゴビを故郷としている人はどうですか」

と、ツェベックマさんにきくと、彼女は大げさな表情をつくって、

「そりゃもう、大変です。ゴビ生れの人は、この地上のどこよりもゴビがすばらしいと讃えます」

「緑草地帯うまれの人は?」

「もう、気が狂ったみたいに」

ツェベックマさんは笑うが、彼女は広大な乾燥アジアのなかでもっとも東の、大興安嶺の壁に近い草原でうまれた。ウランバートルでは同郷の人はおそらくすくなく、しかも彼女の故郷の草原は中国領になっているために、帰ることはできない。帰れないだけに彼女の望郷の念は、堪らぬほどのものがあるであろう。

「モンゴルの詩人の詩はいいですよ。本当にすばらしい。詩は、私たちの心のうるおいです」

と、彼女はいう。たしかにロシアの草原の民もそうであるように、モンゴル民族も衣食住と同様に詩を生きるための必要なものとしている。とくにひとびとが故郷の詩をほしがるために、詩人たちも、すすんでそれを主題にするらしい。

日本の場合、『万葉』や『古今』『新古今』のころのように詩が日常のなかにあった時代でさえ、故郷を主題にする作品がそれほど多くはない。このことは、二つの民族の自然環境を考えあわせ

て突きつめてゆくと、なにか人間の本性にかかわる問題が導き出されて来そうに思えるが、いま
のところ私の中の思案は漠然としている。

ともかくも、機上から見おろすと、一望とりとめもない大自然なのである。この自然のどこに、
モンゴル人たちはとりとめを見出して、故郷というイメージを結像させているのか。

繰りかえし言うようだが、故郷とモンゴル人ということを思うと、この民族の心がひどく神秘
的なように感じられてくる。

モンゴル人は、かつて汎モンゴル運動を推進させようとした日本帝国主義を、教科書的には痛
烈に憎んでいる。しかし実際にはモンゴル人は、日本人に対し、知識以前の親しみをもっている。

「われわれは、日本人の先祖だ」

と、かれらはよくいう。先祖だというのは変な言い方だが、人類学的にはそうかもしれず、二
つのこの言葉を同一語族にするには言語学上未解決のややこしい問題があるとはいえ、濃厚な親
類関係にあることは否定できない。モンゴル人にすれば自分たちの子孫の一派である日本人が東
京でなかなかよくやっている、という素朴な感じを、どうやら誰もが持っているように思える。

むろん、このことは多分にユーモアをこめての感情にちがいない。そのユーモアをこちらも借
用していえば、つまりもしモンゴル高原に住むこの民族がわれわれの本家のひとびとであるとす
るならば、かれらはじつに頑固なものだというほかない。モンゴル人の南下運動というのは紀元
前のはるかな昔からはじまり、やがて現存のほうぼうの民族を形成した。いまモンゴル高原に住

むひとびとは踏みとどまった連中の遙かなる子孫というべきで、かれらがその故郷であるこの草原について、どの民族の愛郷心よりも強い感情をもっているのは、大いなる遺伝的気質といえるかもしれない。

飛行機は、岩山のむれが波立つような一種の山岳地帯の上空を過ぎると、ふたたび草の海に入った。急に高度をさげたかと思うと車輪を出し、みるみる青い大地に近づいて、ちょうど飛行艇が着水するようにしてなめらかに着陸した。むろん、飛行場設備などはなく、草原のただなかをすべってゆく。

「ここが、南ゴビです」

と、ツェベックマさんがいった。

なるほど、白い包が十七個か、十八個ほどかたまっている。私ども宿舎がそれで、どの包でも好きな包に泊まってもらう、という。つまり、私どものホテルである。正確にはウランバートルホテルが経営している包なのである。

飛行機はどんどん草原をすべって、包の群れの前に停止した。飛行機が横付けになってくれるような宿舎は、世界中のどこにもあるまい。

はじめ無人の村かと思っていたが、人影が一つ動いている。あとでわかったことだが、包の村に隣接して石造でガラスをふんだんに使った平屋建てのしゃれた建物がある。食堂だった。

その食堂から出てきた人が、タラップをひきずってきて、飛行機の乗降口にくっつけた。

のところ空屋で、鍵でもって開けて入るのだそうだ。彼女のいうところではすべていま

そのタラップはどこでもある金属製だが、踏み板は木である。その木製踏み板が一段欠けていて、どうも危なっかしい。万事手入れのいい国にしてはめずらしいことだが、おそらくモンゴルに木がすくないことと関係があるであろう。補修には板切れ一枚ありさえすればいいのだが、その一枚の貴重な板がウランバートルからこの遥かな南ゴビまで容易にとどかないのかもしれない。

このため、タラップの最後より二段目から、飛び降りた。靴の裏が、ゴビ草原にくっついたと

き、おどろくべきことは、大地が淡い香水をふりまいたように薫っていることだった。風はなく、天が高く、天の一角にようやく茜がさしはじめた雲が浮かんでいる。その雲まで薫っているのではないかと思えるほどに、匂いが満ちていた。

「これは、何のにおいですか」

と、ツェベックマさんをふりかえった。彼女は馴れているせいか、私の質問をちょっと解しかねる表情をした。が、やがて、

「ゴビの匂いよ」

と、誇りに満ちた小さな声でいった。

人さし指ほどの丈の小さなニラ系統の草が、足もとでごく地味な淡紫色の花をつけている。それがそのあたり一面の地を覆い、その茎と葉と花が、はるか地平線のかなたにまでひろがっているのである。

その花のにおいだった。空気が乾燥しているため花のにおいもつよいにちがいなく、要するに、一望何億という花が薫っているのである。

「羊の好物」

と、ツェベックマさんがいった。このとき彼女の一人娘のイミナが、レニングラード大学の最初の休暇で帰ってきたときに言ったという言葉を、私はおもいだした。

「よその国の草は匂わない」という。うその草のようだ、と彼女は言い、卒業したらまっすぐにモンゴルへ帰る、モンゴルが世界のどこよりもいい、といってその母親をよろこばせたというその感想を、私はゴビ草原へきてやっと理解できた。

ゴビ砂漠を越えてわれわれをここまで送ってきてくれた飛行機がウランバートルへ帰るべく目の前で轟々と滑走しはじめた。無人の草原（われわれをのぞけば）をのびのびと滑走してゆく機体をみたとき、遠ざかってゆく飛行機までが自然物のようで、なにか豪快な生きもののように見えた。

　　　　　チミドの詩

飛行機は去ったが、陽はなお、草遙かな西方の野に残っている。空は蒼穹（そうきゅう）とまではゆかなかっ

たが、幸い風がつよく雲が時間とともに吹き払われつつあるようで、地には小さな例の香草が、花をつけた首を風の中で小きざみに振っている。何億という数の草が、ゆれているのである。

（ひょっとすると、凄い星空が見られるかもしれない）

と、遠ざかってゆく機影を見ながら、期待をもった。この星空への期待は出発前から楽しみにしたもので、あるいは子供のころからのものかもしれない。

私は、自分の包に近づいた。

包、何度も触れたが中国人はこの白い西洋茸のような形の草原の家をパオとよぶ。包という文字を当てたのは、感じとしてじつに適切である。ヨーロッパでは伝統的にユルトとよんできた。

モンゴル人は、ゲルとよぶ。

中国の古い史書では、「穹廬」とか「穹閭」などという文字をあてる。『史記』には、匈奴ハ父子穹廬ヲ同ジクシテ臥ス、とその居住状態がじつに簡潔的確な文章で表現されている。穹廬とはおそらく原音のゲルの音を尊重して似た音の漢字をあてたものに相違ない。

包は羊毛の、真白なフェルトである。掌で触れると、ぶあつくて柔かくて、皮膚にほどよい抵抗感が感じられる程度の硬さがある。

「われわれモンゴル人は、包の暮らしをもっとも好んでいる」

という言葉を、ウランバートルで何度もきいた。鉄筋住宅に住む労働者も草原の包の暮らしを恋しがるし、政府の高官なども夏の休暇には家族ぐるみで遠い草原へゆき、包で暮らすという。

元来、固有文化を守ることについて頑質な民族なのだが、この包の外皮のフェルト感触の柔かさ

に触れてみると、なるほど石や木の硬い材料の建築など、感覚的にやり切れないという気分は当然かもしれないと思った。

包をふくらませているものは、本来、ヤナギの枝の骨組みである。ほそい棒の組みあわせの場合もある。私にあてがわれた包は、それであった。カラカサのように柄があり、その柄が中央をささえる唯一の柱として地面に据えられる。その柄のさきに傘の骨のように数多くの放射状の棒が出ていて、フェルトはその上に、ドーム状にかぶせられるのである。フェルトは剝がれないように、麻の細引で縛られるが、その縛られている感じが中国人からみればいかにも包という実感なのであろう。

入り口は、茶室のニジリ口のようにかがんで入れる程度のもので、木製の観音扉がついている。この扉の感じも、おそらく上古以来、すくなくとも中世この方変っていない。

室内に入ると、天井に、風呂敷を三角に折った程度の大きさの穴があいていて、茜色の空が見える。

煙出しと明かり取りのためのものである。

室内のひろさは、八畳から十畳というところであろう。

「馴れた者なら、十五分で包を一つ組み立ててしまう」

といわれているように、包はあくまでも遊牧のための移動性住居だから、床はない。草の上にじかに獣皮や毛皮を敷きつめるのだが、ちかごろは（といっても、何世紀前からなのか、私はよくわからない）一面に板を敷く。私のこの包もそうだった。

内部に、四台、鉄製のベッドが置かれている。ベッドを置くなどずいぶんハイカラだが、おそらく旅客用の包だから特別配慮されているのかもしれない。

ちょっと横になってみると、ひどく快適だった。シーツも青く光っているように清潔だったし、毛布もよく手入れされているのか、地の感触がよかった。床板はよく拭われていて、油煙などつい先日までたいていたような匂いもする。

し、室内の中央に置かれているストーヴ（円形の薄い鉄板製）もよく磨かれて光っているようていない。またしてもソ連のホテルで閉口した記憶がよみがえらざるをえなかった。労働力はソ連も足りないが、モンゴルにいたっては全く不足している。どちらも半世紀以上を経た社会主義国なのだが、おそらく労働についての誠実さの違いなのかと思ったりした。

ロシアの農民の人のよさについては定評があるようだが、しかし人のよさについて、もし指数が出せるとすれば、世界中のたれもが、モンゴル人の指数こそ最も高いと認めざるをえないに相違ない。社会主義労働になった場合、そしてとくに労働が単純労働である場合、その労働の精粗は、あたりまえのことだが、人の好さの問題になってくるのではないか。

モンゴル人は紀元前から遊牧社会をつづけてきた点がアラビア人に似ているが、しかしアラビア人のように商業的伝統を持たなかった。このためかどうか、金銭や物品を高価値なものとは思わず、その労働についても、労働をいきなり金銭で換算したりするという風習がなく、そういう観念が薄い。

やがて扉が外へひらいて、いかにも笑顔の懐かしそうな緑色のセーターを着た中年婦人が入ってきた。バケツに薪をいっぱい盛りあげて、部屋の隅に置いた。その物腰をみると、彼女の労働

が、この包に清潔をもたらしたということがよくわかった。

「あなたは、この村（村人はいないが）に住んでいるのですか」

ときくと、彼女はそうじゃない、と笑顔を私のほうにむけた。

せんか、というのである。 　飛行機で一緒にきたじゃありま

なるほどそう言えば、この年格好の婦人が、小学校二年生ぐらいの女の子を連れて乗っていた。

あの女の子の母親があなたか、ときくと、そうだ、という。

それ以上の会話は、私の力ではとても及ばず、たまたまそこへ楠松教授が、食事に行きましょ

うか、と訪ねてきて下さったので、きいてもらった。

彼女は、ウランバートルホテルに勤務している。彼女の夫は何か重要な職についていて、別な

任地にいる。夫は月に何度か帰ってくる。あの小さな娘はいま学校が休みなので、一緒に飛行機

に乗せてきたのだ、といった。

「薪はここに置く」

と、彼女は私にいった。

夏とはいえ、高原の深夜や未明は、ときに日本の冬なみにまで温度がさがる。そのためのスト

ーヴなのだが、燃料が薪というのは、よほどの奮発にちがいない。その石炭バケツに近寄ってみ

ると、ボウリングのピンほどに太い薪だった。山のほうの岩肌を這っている這松みたいな樹の幹

や根で、繊維が針金のようにあらあらしい。

「なぜ牛糞を用いないのか」

と、彼女にきいてみた。彼女の返答は、当村では牛糞を用いない、と言うのみで、理由はいわなかった。旅客に対して失礼だということだろうか。

古来、ユーラシアの草原で暮らしてきたすべての遊牧民族の燃料は、草食獣の糞である。草食獣の糞がもし燃えないものなら燃料のない草原では人間などとても生存できず、従って人類の歴史を彩った騎馬民族は存在しなかったにちがいない。

牛や羊たちが草原に落としてゆく糞は、すぐ乾いてしまう。掌にのせると吹きとびそうなほどの軽さになり、鼻を近づけても草に似たにおいがするだけで、およそこの前身が糞であるとは思えない。羊糞をホルゴルと言い、馬糞はホモールという。その糞もりっぱに燃えるだけでなく、青い炎をあげて、熱量も相当高そうに思える。

「歓待ですよ、ハイ」

と、楠松教授は薪のバケツを指さしていった。まことに痛ましいような感じで、草原の人には珍物に類するような薪をむざむざと燃やせないような気もする。

包の天井から、一〇ワットほどの裸電球がぶらさがっている。陽が暮れきってしまってから、二時間ばかりつくというのだが、これも天と地しかないこの草原では大変なエネルギーといっていい。

包から一〇〇メートルほど離れた所に、小さなディーゼル発電機の小屋があって、その発電機

をまわすことによって、この裸電灯がつく。その発電機をまわす係も、どうやら私どもと一緒の飛行機で同行してくれたらしい。それに、食堂の料理人たちもあの飛行機でやってきた。

私どもは無論単なる旅行者で、モンゴル人民共和国から旅行者以上に意味のある扱いをうけていない。これらの経費は、日本交通公社を通じてあらかじめ払いこんであるウランバートルホテルの宿泊用のクーポン券の中に込められているのである。その値段は忘れたが、しかし一般のホテルの宿泊費より高くはない。

私どもは、かれらに気の毒なほどの小人数であった。もしも大団体ならその支払金額の中からこれらのひとびとの人件費ぐらいは出るだろうが、この状態は、資本主義的計算でいえばモンゴル人民共和国に大きな赤字を出させているということになる。社会主義的計算でいってもおなじであろう。

このとき、ツェベックマさんが、扉をたたいた。食事だという。扉を排して外へ出ると、わかりきったことだが、いきなり大草原に漂い出る感じで、歩いてゆくうちに自分がけし粒のように小さな自然物に化けはてるような思いである。

「どうも料簡の小さいことをいうようですが」

と、彼女にいった。

「料簡？ ココロのことですか」

彼女は、びっくりして立ちどまった。影が、一〇〇メートルほど長く曳いている。

「そうです。ココロといえば、ココロです」

「ココロが、小さいのですか」

ツェベックマさんの驚きがつづいていて、変な表情で私の胸もとのあたりを見つめている。モンゴル人はわれわれと同様、ココロは胸のあたりにあると思っているのであろうか。

「私どもがこんなに小人数なのに、こんなにおおぜいの人に出て貰って悪いですね」

「いいですよ」

といったとき、風が、彼女のまるいおでこを吹きあげて、髪を反りかえらせた。旅客を接待するのは国家の仕事です、モンゴル人の美質は、昔も今もお客好きなことです、と彼女はいった。

「しかし、どうも、赤字だな」

「アカジとは？」

彼女は、首をひねった。

「帳簿につける黒い数字と赤い数字」

「つまり、損？」

と、彼女は的確に反応した。そのあとすぐさま、

「そんなアカジ、ちっぽけじゃないですか、人類が戦争をしたりすることを思えば——」

話が、大きくなった。なるほど、国家が戦争をしたりする大赤字を考えれば、外国から来る旅客を赤字でもてなしても、たかが知れている。

「夕陽」

と、私はツェベックマさんに注意をうながした。寸法一〇センチの草がはるかにつづくかなた

は、どちらかといえば黄ばんでいた。

　満州の夕陽は赤かったが、モンゴル草原のこの日の夕陽は、陽がしずかに落ちてゆくのである。

　食堂はすでに触れたように、ガラス部分の多い山小屋風のしゃれた建物である。その軒下に、スズメが群れて騒いでいた。

「ゴビにも、スズメがいるのですか」

「ここだけ」

　と、ツェベックマさんがいった。人間のいる所にスズメがいるというが、ここは本来、旅行者用の包の集落で、いつもは無人地帯なのである。われわれがやってきたからスズメが血相を変えてやってきたのか。平素、人間が居ないあいだは、かれらは草原の小虫でも追っかけているのだろうが、冬季は虫もなく、厳寒でもあり、どのようにしていのちを守っているのだろう。

　食堂は、完全に西欧式である。白いテーブル・クロスをかけた卓子が七つほどあって、ほかに、くつろぐための安楽椅子もある。

　ロシア風の黒パン、モンゴルのさまざまな乳製品が食卓の上にのせられている。

　やがて、モンゴル人が最も好む羊の肉ダンゴの入ったスープが運ばれてきた。酒は、水よりも透明度の高そうな例のモンゴル・アルヒを頼んだ。その液体は、ウィスキーのシングルのグラスに入っている。モンゴル人は客を接待するときこれを一気にのどにほうり込み、相手にもそのやり方を強要する。

料理の皿数がふえるにつれて、首筋が酔っぱらってきた。

「ツェベックマさん、人生は長いですか」

と言いだしたころには、相当酔ってしまっていたのだろう。

「短いですね」

彼女は、言下にいった。もう五十になった、と彼女はいう。色白だから四十そこそこの感じなのだが、数字というのはむざんなものだ。しかしなお彼女は英気潑剌としている。私がそのように言うと、彼女は、自分もそう思ってはいる、しかし気力のあるあいだに娘に受け渡しておかねばならない、といった。

「何をですか」

「私のモンゴルについての想い。私のもっている小さな教養。日本語もふくめてです。それに私が娘のころに身につけたお行儀。そして、もうずいぶん娘に語ってきましたが、娘に、あなたの父親がいかにすばらしい人であったかということ。……お酒、もっと召しあがりますか」

彼女は、照れたらしい。

私は彼女の話をききながら、チミドという現代詩人の「我はモンゴルの子」という詩を、せきあげるような勢いで思い出した。この詩は、田中克彦氏著の『草原と革命』で知った。

　アルガルの煙たちのぼる

牧人の家に生まれし我

人を知らぬこの広野を
これぞ我が揺籃と思う

星の草原

　私は、食堂で夜を待った。

　ちょうど出るべき料理が尽きたころ、ガラス窓のそとが真暗になっているのに気づいた。

　食堂の建物が、この大草原のなかでただ一つきりの固定建造物だけに、日本のような人口稠密（ちゅうみつ）の居住環境に馴らされた感覚ではひどく心もとない。

　夜は、たとえば夜になった、というようなおだやかな表現で済まされるようなものでなく、夜が物理力のようにひたひたと襲ってきて、この食堂という、心許なげな人間の営みを押しつぶそうというような感じだった。

「夜になると、このあたりでも狼が出ますか」

と、皿を片付けにきた少女にきいた。狼はチノーという。モンゴル人民共和国の畜産業の敵は、依然として古代と同様、狼である。出ますかなどという言い方がわからないから、狼、コノ土地、

アリマスカと質問した。

「アリマス」

少女が笑いながら答えたのには、おどろいた。ツェベックマさんがその問答をきいていて、大丈夫ですよ、狼なんか、出やしませんよ、といった。

「ツェベックマさん。べつに私はこわがっているわけではないんです。出たほうがいいと思っています」

「何いってるんですか、狼のこわさも知らないくせに」

「狼、きらいですか」

「誰が、好きな人がいますか」

彼女は、あんないやらしい動物はいない、といったふうに渋面を作り、チェッチェッと舌を鳴らした。

その切実な表情をみると、これほど知的な女性でさえ、いかにも大自然のなかに生きているという感じで、うらやましく思えた。モンゴルでは狼害が畜産の成績にすくなからぬ影響をもっているとはいえ、今日的な価値観でいえば、それだけ大自然を豊富に持っているという誇りにさえなるのではないか。

私は、懐中電灯を持ってそとに出た。一キロばかり散歩してみようと思った。この食堂の灯を一直線で遠ざかってゆけば、帰り道に迷うことはない。たとえ三〇キロ離れても、この食堂の灯は見

えるはずだし、それを目ざして帰ればよい。さらには道がわからなくなるという心配もありえない。みじかい草でおおわれた大地がことごとく道であり、なまじいの道でないために迷うことがなく、つまりは老荘の世界のような天地なのである。

食堂のあかりは、半径二〇メートルほどの地面を照らしている。それを過ぎると、宇宙いっぱいにひろがった星の大群のなかにまぎれこんでしまいそうなほどの世界に入る。この星のすさまじさは、どうであろう。

背後から、家内が跫いてきている。満天の星に押しひしがれたような姿勢で、押しだまっている。うかつに物をいえば星にとどいて声が星からははね返ってきそうなほどに天が近かったし、それを恐れているような姿勢だった。

人影がもう一つ近づいてきた。須田画伯だった。先刻、食堂で別れたばかりなのにひどく懐かしい感じがして、

「一キロほど歩きましょうか」

といってみたところ、須田さんらしい人影はなま返事をしただけだった。やがて、どうしていいのかわからない気持です、という返事がかえってきた。こんな物凄い星空というのをはじめて見ました。心も足もすくんでしまっています、といった。

「星ばかり描きつづけているエカキがいるのです。その人に、こんな星ばかりの大観を見せたら、うれしくて狂い死んでしまうかもしれません」

「星というのは絵になるのでしょうか」

ときいてみたが、須田さんはご当人がいうとおり、星空に圧せられて悚んでしまったのか、返事をしなかった。

星ばかりの大観という須田さんの表現は、実感そのものといっていい。風が砂を吹きあげない季節のモンゴル高原の空気の透明度はおそらく世界一であろう。乾燥して水蒸気がすくないために、無数の星が瞬きもしないのである。日本の田舎などで見る星よりひとまわり光芒が大きく、それが実感的数量として何千万もの光点が、金属音を立てるようにして光っている。

須田さんの黒い影が、あごをあげて天の川を見あげている。ぼう然と放下している感じが、神仙のようでもある。天の川というこの乳色の星雲のながれが、実感として三〇センチ幅で地平線から地平線へ大きく流れているのだが、天の川がこれほど長大な流れであるとは、この星空の下に立つまでは、ついぞ知らなかった。

夏のあらゆる星座が、われわれにいどみかかるようにして出ている。私にはそのことの知識が乏しいが、天の川にかさなって鳥がつばさをひろげて飛んでゆくような星座が、白鳥座なのであろう。そのうちの四つの星が、クロスしている。北十字星がそれであるようだった。

日中は暑かったが、夜は、多少冷えている。

日本の季節でいえば十月ごろの冷たい風が、しずかに動いていた。

唐の詩人は、モンゴルの草原や砂漠のことを沙場といったり、北庭といったりする。

「風は西極に連なりて動き、月は北庭を過ぎて寒し」

という杜甫の詩句を想い出した。この日、月こそなかったが、この夜の微風の実感は大地が雄

大であるために、まさに、風は西極に連なりて動くという感じだった。

人工衛星が動いている。星から星へ過ぎてゆき、何か飛翔音でもきこえて来そうでもあった。

三個ある。そのうちの二個がこの大視界のなかで、しずかにクロスした。

星の群れのなかから私の名を呼ぶ者があっておどろいてふりかえると、須田さんだった。

「赤ン坊のときの記憶というものを信じますか」

と、須田さんはいった。私のはあとから教えられて記憶になったという感じじゃないんです、二歳のときです、という。

埼玉県熊谷の在にうまれた須田さんは、まだお若かった母君に抱かれて村の祭礼に行ったという。

帰路、夜道になった。

途中、雨が降って、知りあいの家に雨宿りした。

「そのとき、抱かれて見あげていた星がこれと同じでした」

嬰児の目に刺すように飛びこんできた星影がおどろくほど大きい感じで、あの星をとってくれ、とむずかったという。その後、あれほど大きい星を見ず、結局は錯覚だったのかと思っていたが、その後、六十数年ぶりで、嬰児のころの網膜に焼きついた星が本当だったということを確認した。

「この星なんです」

「どの星ですか」

「これ、ぜんぶの星です。赤ン坊のとき、鎮守の祭礼の帰りに見た星にやっとめぐり逢えました。

「さっき、ぼんやりしておられたのは、それでしたか」

「それでした」

　須田さんはうなずいた。その足もとを懐中電灯で照らしてあげると、黒い靴が前へ前へと進んでいる。すこし内股であるようだった。嬰児を抱いている母君のお気持になって歩いておられるのかもしれない。

　一キロばかり歩いてから、ひっかえすことにした。

　食堂の灯をめあてに進めばよい。ただ、まぎらわしい灯が、別にある。右手地平線のかなたに、灯のむれが握り拳ほどの大きさのかたまりになって、浮かびあがっているのである。その方角に、ささやかな都市設備をもったダランザダガドという集落があるはずだった。ダランザダガドは南ゴビを管轄とする役所のある町で、包もたくさんあるらしい。しかし四〇キロかなたであり、昼間はまったく見えなかった。それが夜になると、電灯の光だけが見える。それもほんのそこにあるような感じである。ダランザダガドからわれわれの方を見ても、おそらくこの食堂の灯が、曠野の大都会のように見えるのであろう。

「シバサン」

　と、須田さんは私の袖をひいた。

「あちらへ行ってはいけませんよ」

ダランザダガドの灯を、須田さんは指している。四〇キロむこうとはいえ、うっかり間違いかねないほどの近さに見える。須田さんも、用心している。自分以上にそれをやりかねない私を、警戒しているのである。

食堂に帰ると、室内の模様がさっきとは変っていて、ツェベックマさんが男どもを指揮していた。壁に、スクリーンが垂れさがっていた。「ゴビの自然」という映画を見せてあげる、というのである。「うまくゆけば、ですよ」

と、ツェベックマさんは、この計画に、一分の不安を残していた。フィルムはこの食堂にある。しかし映写機がない。「映写機をとりに行っているのです。ダランザダガドまで」

「ダランザダガドまで?」

私は、おどろいた。隣家へでもゆくようにいうが、四〇キロの彼方ではないか。

「馬で?」

「いいえ、車で。猛烈にね、スピードをあげて」

草原には、道がない。星空の下の太古以来の大地を、自動車が物凄い速度で走っているのが、目にうかぶようでもあり、その孤独な疾走が気の毒なようでもある。

星が凄かった、と私がいうと、彼女は、自分はモンゴルの土地以外で星を見たことがないから、そのよさがわからない、と言い、モンゴル文化と星についてしばらく語ってくれた。ただ彼女ほ

どの練達の日本語通でも、日本語の星や星座の単語がすぐ出てくるわけでなく、それを受ける私のほうも、星に関する日本語の単語にうとい。結局モンゴル人にとって星は大切な存在だということだけはわかった。

ただモンゴル人は日本人と同様、上代において独自の天文学を持たなかったということで、中国人と異っている。

このことは天文学は関係ないが、明治初年に来日して日本の国語学の祖というべき仕事をのこした英国人チェンバレンは、『古事記』の英訳などをするうちに、星についての記述がすくないことに気づいた。

「おそらく日本人が農耕民族だから、昼間の疲れで早寝をしたため、星に関心をもたなかったのだろう」

という意味のことを書いている。チェンバレンは日本語の祖は北方にあるということを最初に言い、モンゴル語と日本語を親類関係に置いたひとだが、両民族は星についても、上代中国人のような知的好奇心の鋭敏さを持たなかっただけかもしれない。日本人が物を記録することに熱あるいは、持っていても記録されなかっただけということで共通しているかもしれない。

心になりはじめたのは九世紀以後であり、モンゴルにいたっては、文字ができたのは十三世紀になってからである。それまでに無数に存在したであろう星の詩人や星についての神秘哲学者や天文学マニアたちは、その作品を記録することなく消えて行ったのであろうか。

「帰ってきましたよ」

と、ツェベックマさんがいった。

食堂の窓越しにみると、遠くの闇のなかでヘッドライトがしきりに動いている。そのヘッドライトを最初にみたときから、車が食堂前に着くまで二十分以上かかった。

「残念だが、技師が風邪をひいて熱がある。来られないんだ」

運転台から青年が降りてきて、そういった。かれは車の中から映写機だけをとり出し、食堂の中に運び入れた。ソ連製の重そうな機械である。

青年は、頭をＧＩ刈りにしていて、岩のようにいかつい肩を持っていた。かれはこの食堂や包の電灯をつけるための自家発電機を操作する係員だった。いかにも馴れた手つきだが、じつは映写機をさわるのははじめてだという。

「あの人はね、オッチョコチョイ」

と、ツェベックマさんは、こまったような表情で、私をふりかえった。

「何でもやりたがるんです」

と不安がるうちに、青年は変な所に触れたらしく、映写機から白い煙が噴きだした。

「……！」

と、ツェベックマさんが怒鳴って、このゴビの機械好きの青年の華麗な好奇心を封じてしまった。われわれのほうも、映画「ゴビの自然」を見る機会は、白煙とともに消えた。

ジンギス・カンの平和

星の下を歩いて、自分の宿である包にもどった。包の前で木製の小さな観音扉をひらくとき、つまりは木の軸にすぎないのだが、天地にはばかるほどの大きな音のように感じられた。

静かだが、例外がある。われわれに裸電球一個のあかりを提供するために鳴りつづけている自家発電機の音がそれなのだが、その発電機が夜九時にとまる。それまでにベッドに入らねばならない。

私は大いそぎで寝支度をし、鉄製ベッドの上の毛布の中にもぐりこんだ。この身支度のいそがしさと、消灯ということと、包という簡素な空間が、忘れきっていた軍隊生活を私に思い出させた。じつに似ている。もっとも私は軍隊ではヘマばかりやっていたけれども。

このときもそうだった。うっかり靴下をぬぐのを忘れていた。また毛布のそとに這い出して靴下をぬいでいると、闇になってしまった。電灯が消えた。私がジンギス・カンの兵隊なら、とっくに戦死しているにちがいない。

包の天井に、煙出しとして、三角形の天窓があいている。枕に頭をのせてながめると、そこに

も星が、手網ですくいあげられたようにして溜まっている。真暗な包のなかで、天窓に区切られた星をながめていると、戸外にあふれている他の星とはちがい、この数個の星ばかりは包の中の自分に対し、特別な意思を送信しているようにも思われた。

星に感じて妊娠するという伝説がある。それも、ジンギス・カンの家系伝説にある。その感じは、包のなかに臥ねいて天窓を見つめていると、わかるような気がする。似たような環境のなかで成立したイエスの母マリアの神聖受胎の話も、その環境のなかにいるひとびとにとっては、あるいは、そうかもしれないという、感覚としての身の覚えのようなものが共通にあったのであろう。

日本の神話の場合も、その自然環境の上に成立している。日本では、娘が厠かわへ行ったとき、丹塗ぬりの矢が陰を突いて神聖者から受胎させられた、というのがある。日本のように山河の形象が複雑な自然環境のなかにいると、せっかく神聖受胎という主題をとらえていても象徴性がすっきりゆかず、つまり丹塗の矢とか陰とかという具象的なもののカケラを援用しなければ受胎のイメージが結像しないのかもしれない。

そこへゆくと、聖母マリアの環境にあっても、このモンゴル高原においても、星空と大地という二元がくっきりしていて、想像力の象徴化がごく簡単にゆくようである。マリアは、そのようにして受胎した。というより、マリアの受胎復活を、ひとびとは熱狂的にみとめた。

ジンギス・カンの家系伝説における神聖受胎も草原のひとびととの感受性によって認められてい

たからこそ、語り継がれていたといえる。

ジンギス・カンの遠祖にドンチャルという者がいた。妻のアラン・ゴワは、この夫とのあいだに二児をもうけたが、やがて夫に先立たれた。夫の死後、彼女はさらに三人を生んだ。神の子である。五人の子がそれぞれ少年になった。あるとき上の二人の子が、下の三人の弟に対し、

――お前たちは、亡父の子ではない。

と、いった。母親のアラン・ゴワはべつに狼狽もせず、五人の少年をあつめ、真実を明かす、と言い、亡夫の死後、毎夜、包の天窓から光の精が入ってきて、自分の腹部にふれた、やがて受胎し、つぎつぎに子がうまれた、つまりあとの三人の子は神の子である、といった。

それだけでなく、彼女は上の二人の子に矢を一本ずつ渡して折らせた。簡単に折れた。つぎに五本の矢の束をわたし、この束を折ってみよと命じた。むろん折れなかった。兄弟は一人ずつなら弱い、五人で力をあわせればこの束のように強い、と彼女は諭すのだが、この矢の束の教えというのは、乾燥アジアの遊牧民族の社会ではありふれた説話だったらしい。おなじ話が、ジンギス・カンの少年時代にもある。その異母兄と魚のことで争ったとき、母親のウルゲンが、この話を引いて諭す。日本の戦国時代の武将である毛利元就にもこの話がある。

ジンギス・カンといえば、この旅行中、私はモンゴル人に対し、この人物の名前を出さぬようにに気をつかっていた。

モンゴル人にとって、かれらの民族を大統一した英雄であるだけでなく、世界中のだれもが、

いまなお驚歎と戦慄でもって記憶しつづけている名前なのである。モンゴル人にすればこの名前を公然と誇りたいにちがいないし、それができないのは、つらいことに相違ない。

が、浮世の義理というものだ。

ソ連人が、これをいやがるのである。公式的には、ソ連人は、モンゴルのジンギス・カンというのはあれは侵略者だ、だからいけない、という。

しかしソ連邦のなかのロシア共和国では、帝政時代の——つまり大侵略時代の——英雄的な皇帝や、シベリアの原住民を征服していったコサックの勇敢な酋長たちに対して公式な理解と尊敬が払われている。そのソ連がモンゴルに対してのみジンギス・カンを禁じているというのは、片手落ちのような感じもする。

民族というのは、とくに弱小な民族にとっては、その民族がかつて出した統一の英雄に対し、その人物の侵略性うんぬんはともかく、その英雄の名前に花輪を捧げることによって民族的結束を強めたいという願いがある。

中国の毛沢東は、秦ノ始皇帝という、われわれ他民族がみれば暴慢な侵略王としか映らなかった人物を称揚している。なるほど称揚されてみれば、秦ノ始皇帝というのは、上古以来分裂の状態にあった漢民族の世界を大統一したという、歴史の劃期をつくった人物なのである。

秦ノ始皇帝は、かれにとってくだらない儒書をあつめさせて焼き、かれのためには無用有害の存在である儒者を生きたまま穴埋めにした。そのかわり、雑多な漢字を整理し、文字を統一する

ことに努め、その努力のおかげで、中国大陸のどの地方——燕であれ、趙であれ、楚であれ、呉であれ——にいる漢民族でも、たがいに音がちがいつつも文字さえ見れば意味が通ずるようになった。すべての漢民族を一つの文化にはめこんだ功績というのは大きい。

毛沢東が始皇帝を称揚するのは、ともすれば分裂しがちな漢民族世界を強固に統一してゆこうという政治的意図が多分にあるのであろう。しかし秦ノ始皇帝がもし存在しなければ中国大陸の政治習慣のなかに統一ということがなかったかもしれない、という想像は十分正当性をもっている。

「この大陸は、統一しうるものだ」

という気分が、人心のなかにおこった。秦が衰弱したとき、官営土木に駆り出されていた土工のひとりが仲間を扇動して、

「王侯将相というのは種がないんだ。たれでもなれるのだ」

といった。この昂然たる気分は、統一指向の人心のあらわれともいえるだろうし、この気分のなかから漢帝国がうまれ、それが隋唐帝国へつづくといえるかもしれない。

もし漢民族が、秦ノ始皇帝という統一の成功者をもたなかったならば、ヨーロッパ大陸において諸国が方言によって国境を分っているように、分裂が常態ということになったかもしれず、こう考えることは、遊びとしては十分楽しい。

秦ノ始皇帝を偉大であるとした毛沢東氏はそれよりも前に、

「ジンギス・カンこそ、モンゴル民族の統一をなしとげた偉大なる人物である」
と評価し、ソ連の強力な影響下にあるモンゴル人民共和国にむかって宣伝した。この表明はた
しか一九六〇年前後だったと思うが民族主義的な一部モンゴル人の心を大いに動かしたらしいこ
とはたしかである。

ソ連におけるロシア人が、十三世紀初頭にユーラシア大陸を征覇した英雄を、人類史における
害獣のように憎むのもむりはない。

ジンギス・カンが樹てたモンゴル帝国が、ロシアを征服し、「タタールのくびき」という言葉
でもわかるように、ロシアの農民や牧畜者を搾木（しめぎ）でしめあげるように搾取したからである。

モンゴル人がやってくるまで、ロシアには有史以来国家らしい国家がなかったことを思うと、
ロシアというのはひどく若い国であることに驚かざるをえない。ロシア人は民族国家を形成する
前に、東方の征服者によって国家——キブチャック汗国——を体験させられたのである。キブチ
ャック汗国の国家機能はモンゴル貴族を富ませる目的のために存在し、被支配者であるスラヴ人
は搾取されるためにのみ存在した。

モンゴル貴族は広大な農地を私有し、その農地にはスラヴの百姓が農奴として付属していた。
この単純きわまりない国家構造は、その後のロシア人による帝国に、遺伝のように相続された。

帝政ロシアにおける貴族と農奴の関係は、古くからごく自然に民族国家として存在している日本
人にとって、知識ではわかっても実感としてはわかりにくいところがある。ロシア貴族は皇帝を

もふくめ、土地所有の形態としてはキプチャック汗国時代のモンゴル貴族と質的にはおなじだし、農奴もまた、「タタール」支配のころのスラヴの農奴と質的には大差がない。警察・軍隊という文字どおり支配階級の爪牙（そうが）は、反乱をおこしそうな農奴を殺すか、鞭打つために存在した。ロシア国家（私は趣味としてあえてソ連をふくめない）が謀反気のある人民に対して冷酷、苛酷、残忍であるのは、タタール支配のころからのごく自然な、そしてきわめて強烈な社会的遺伝であるといえるかもしれない。

ともかくも、ソ連はジンギス・カンをはなはだしく憎む。滑稽なほどに憎んでいる。ところが、不幸なことに、モンゴル人民共和国の政治家たちが、このソ連人の感覚に鈍感だった時期がある。

一九六二年に、国家をあげてジンギス・カン生誕八百年という大記念行事をやってしまった。ソ連政府がどのように激怒したかは、こまかくは私にわからない。が、ともかくもモスクワの逆鱗にふれて、自粛のかたちとはいえ、モンゴル人民共和国の政治局員一人が追放されてしまった。

国家事業として大記念行事をはなばなしくやったくせに、その責任者の追放と時期を同じく、国家をあげてジンギス・カンの侵略を批判するようになった。

——あの男はまだジンギス・カンを批判していない。

という批判がまかり通る暗い時期がつづいた。以後、ジンギス・カンという名前はこの国家にあっては禁忌になった。

ひとつは、ジンギス・カンという名前をうかつに解放すると、モンゴル人の精神がこの名のもとに昂揚し、つまりは民族主義的に自己肥大するという、ソ連にとってはこまった事態が予想されるからであろう。

天窓の星をながめながらそんなことを考えていると、次第にねむくなった。まことに平和にねむれそうであった。モンゴルのこの平和が——国家的にも個人的にも——ひとつはジンギス・カンの名を言わないことによって存在しているということを思うと、この天地静寂のなかにおいては、それもまたよく、むしろそのほうがよいことではないか、という気分になってくるのである。

流　沙

やがて、天窓の星が見えなくなった。つまりは、眠りに入ったらしい。

平素、早寝に馴れていないせいで、快眠が得られそうにないという思いがあり、得られそうにないという無用の自意識が眠りを二重に浅くしているようにも思えた。そういう卑弱な人間が、地球の自転の音だけがきこえるようなこのゴビ草原で眠るのは場違いであり、冒瀆のような贅沢さであり、要するに滑稽ではないかと思い、そういう意識が、さらに眠りを浅くした。

と、自分では思い、寝苦しかったように思うのだが、翌朝家内にきくと、マンガの古代人がホラ穴で眠っているような感じで、悠長ないびきをかいて眠っていたという。

あけ方になって、眠りが深くなった。ところが、包の観音びらきの木製扉がどんどん鳴った。

飛び起きて、扉を押して八ノ字にひらいてみると、外界の草原が藍色に染まっていた。まだ夜なのだろうか。

「朝日が昇っています」

と、訪問者の須田画伯が、息をはずませてそう言った。須田さんは、ひとに物事を押しつけることのまったくない人なのだが、朝日の昇るのをみて、遣り場にこまるほど感動してしまったらしい。これだけはご覧にならないといけません、と言ってくれた。

残念なことに、朝日は地平線を離れてしまっていて、まわりが白っぽくなっていた。ほんの三十秒前までは真紅の光の矢が濃紺の天を縦横にかけめぐって、物凄いほどの景観だったという。

私は、だぶだぶの夏パジャマに、短靴をはいていた。須田画伯も、黒い短靴をしっかりとはいている。ただし胴体は格子ジマのネルの寝巻で包んでいて、病院の廊下を歩いている回復期の患者さんのような姿だった。

「散歩にゆきましょう」

と、須田さんは、さきに立った。

「この姿のままでいいでしょうか」

私は、ちょっと肌寒さを感じたのである。

「だれも居やしません」

須田さんは、体裁の意味にうけとった。

歩きだすと、まわりは広さという観念でとらえられないほどに広く、ちょうど小舟で大海のなかに押し出してゆくような心もとなさを覚えた。

須田さんは、靴の音をポクポクさせながら歩いてゆく。体のわりには靴が小さく、いくぶん内またで歩く。どこか、ラクダが歩くような悠暢さがあった。

「寒くありませんか」

「たっぷり着こんでいますから」

須田さんは、出国のときの覚悟が大きかった。かねてモンゴルの真夏の早暁は気温が〇度前後にさがることがありうる、ときかされていたので、氏は冬の下着をトランクに詰めてきた。このため、この朝も、冬寝巻の下にはぶ厚い毛糸のシャッとズボン下をはいており、スズメ色の寝巻がひどくふくらんでいた。

たしか、オーエン・ラティモア教授の内蒙古での紀行文にあったように記憶しているが、真夏の早暁、包のそとに出てみると、水を入れておいた器に薄氷が張っていたという。真夏でも昼夜の寒暖の差がはげしいということをきかされていたし、そのことが、須田画伯の重防寒着衣になったのだが、しかし私どもが行ったこの夏が異常であったのか、朝といっても、日本の高原の朝程度の物柔かな気温なのである。

須田画伯は、どんどん歩いてゆく。

モンゴルに来たから歩くのではなく、西宮の夙川（しゆくがわ）の土堤下に住む氏の日常がそうで、毎日、朝、五時すぎに起床し、六時から夙川の堤の上の桜並木の道を、六甲山系の山にむかって半里ほど歩くのである。その習慣を、モンゴルに来ても保持しているだけで、ただ寝巻で歩いているだけが、日常とちがっていた。

「あの山は、なかなかいいですね」

と、氏は前面の山を指さした。

山というより、山脈のかたちをとっているのであろう。われわれがその上を飛んできたゴビ砂漠の最後の地形が、遠望すると山脈の体をなしている。絶頂が黒い岩肌色で、中腹が濃紺色であり、中腹からゆるやかな裾（すそ）をひいてこの草原に至っている。裾の色は、若草色であった。比較の好きな須田画伯は、

「奈良の若草山に似ています」

と、その裾野の感じをとらえて、言った。なるほど若草山といえば、裾はそのようにも見える。

この山脈の色調が、頂上を横に走る黒の帯と中腹をいろどる濃紺の帯と裾の若草色の三つにわかれていることを、この草原に放牧するモンゴル人はひどく気に入っていて、

「三つの美（ゴルブン・サイハン）」

と、この山脈を名づけていた。ゴルブン・サイハンの山の中には、野生の馬や野生のヒツジのたぐいがたくさん棲んでいるというが、私は写真でしかそれを知らない。

須田さんは、歩いていたかと思うと、ひょいとしゃがみ込んで動かなくなってしまう。雑草の

すきなこのひとは、小指ほどの長さの草花をながながと見つめるのである。この草原のみじかい

草は密生という生え方をせず、一〇センチほどの間隔を行儀よく守りつつ生えている。おそらく

乾燥という条件がそうさせているのであろう。水がすくないために根が占める容積が、地上に出

ている草の寸法にくらべてひどく大きいということにちがいない。

やがて須田さんはかがみこんで草の茎を指さきでいじりながら、

「ただの緑じゃありません」

と、感動をこめていった。なるほど氏はこの種の緑──コバルト・グリーンのような──色を、

その作品の上で好んでいる。見渡すと、どの草も、そういう緑色をしていた。ライラックの葉っ

ぱをちょっと薄くしたような色である。

「私の好きな色が、いっぱいです」

と、須田さんは立ちあがりつつ言い、ふたたび歩きだした。

やがて須田さんは指をあげ、ゴルブン・サイハンの山を指したものである。

「あの山まで歩きましょう」

須田さんは、ゴビ草原にきても牢固たる習慣のなかに居るのかと思われる。毎朝の散歩で、六

甲山系をめざして歩いてゆかれるのだが、いまもそのつもりで、ゴルブン・サイハンを指定した

に相違ない。しかし、あの山までの距離は東京から横浜以上もあり、とても寝巻のままで歩いて

ゆけないのである。

ともかく、歩いてみた。

目にはじつに近くみえる。裾野の草の一本一本まで見えるのではないかと思えるほどなのだが、要するに空気の透明度が高いせいか、山までが一望の草原という単色の平面しかないため、錯覚するのかもしれない。距離感覚というのは習慣らしく、日本の錯綜した自然や地物と、濃い水蒸気——だけでなく煤煙その他のガスをふくんだ不透明な空気——という条件のなかでできあがった距離感覚は、モンゴルでは間尺があわなくなるのである。

「須田さん、だめです」

パジャマ姿の私が音をあげたのは、一キロほど行ってからだった。山は相変らず絵ハガキのように固定していて、距離による変化がない。

「そうですか」

須田さんは、にべもなく反転した。われわれの包が遠くなっていた。

朝食をとってから、マイクロバスで包を出発した。

目的は、砂丘である。

前夜、ツェベックマさんから、サハラ砂漠とのちがいをいろいろ訊かされたが、ゴビ草原（砂漠をもふくめて）はサハラにくらべて動物相が豊富であるということだった。もっともツェベックマさんはサハラ砂漠へ行ったことがないから、この強調には多少はお国自慢が入っているかもし

れないが、お国自慢にしても雄大な自慢といっていい。

――ゴビには、サハラ砂漠のような移動性の砂丘がありますか。

と問うたとき、彼女は、ありますよ、と豊かな胸を張った。

ということで、午前中はその砂丘を目標にした。一時間も走ればいいという。

道はない。ただ草原を突ききっってゆくのである。

草原といっても、ところどころで、植物の相が、多少ちがっている。途中、一望、お花畑のよ

うな世界に出くわした。

ツェベックマさんが下車し、二種類の草花をちぎってきて、発車を命じた。

どちらもレンゲ草ほどの寸法である。白い花をつけているのがターナと言い、これは羊が大好

きなんです、これを食べると、羊でもラクダでも、

「……こうね」

と、両手で自分の体のまわりに弧をえがいた。肥る、というのである。

もう一種類の草花は、紫色の花をつけている。姿はさきの羊が肥る草とそっくりなのだが、

「これは、人も食べます」

と、いった。

車はどんどん走るのだが、人の影というのはまったく見えない。ただ草原の単色に斑（まだら）を作った

ように、ヤギの群れやヒツジの群れがいる。

「おかしいね」

と、ツェベックマさんはいった。

ヤギとヒツジは元来、似たような動物だし、牧人たちはむろん一緒に飼っている。ところがこの両動物はかならず同じ仲間だけでかたまり、決して入りまじったり、一緒になったりしない、ごらんなさい、どちらもずいぶん離れて群れを作っているでしょう、と、ツェベックマさんは、そのことに深いイメージがあるらしく、両種別居の可笑しみを繰りかえし語りつつ、自分のイメージを私に伝えようとした。

「ね、そうでしょう」

彼女はあちこちの両種の群れを指さした。外観といい、生態といい、ヤギとヒツジはきわめて酷似しているが、彼女のこのおかしみのイメージの奥は、私にはわかりにくい。単に童話的におかしがっているのか、それとも人間の世界に置きかえているのか。彼女は少女のころ、中国人との雑居地帯で暮らし、中国語も堪能だった。ただし雑居地帯とはいえ、蒙と漢はたがいにべつべつに群居し、決して入りまじらなかった。さらには成人後、中国という政治状況のなかで苦労したという経験が彼女にある。蒙と漢は、他人からみれば一見顔つきの似たような民族ではないかという、しかし内側からみればまったくちがう民族なのである。要するに政治的にも両群はべつべつのわくを作らざるをえないのだ、ひいて

ヤギやヒツジに言わせれば、「おれたちは、あの連中とはまったくちがった動物なのだ」ということかもしれず、たがいに入りまじることを極度にきらうのである。

「それがおかしい」

といってツェベックマさんは笑うのだが、

は広く民族というものはそういうものではないか、ということを暗に彼女は言いたくて、ヤギと

ヒツジの群れをしつこく語っている……のではないか。

空の色は、すさまじいばかりに青い。

やがて目の前がかがやくような黄色の世界になり、車が砂丘の波の最初の丘にぶちあたった。

車を降り、風紋を踏んで砂の丘に登ってみた。　砂の粒子はコナのように小さく、一足ごとに踝（くるぶし）まで没してしまう。　一つの丘を登って降りるのに、十五分ほどもかかる。　丘の波の低部に降りると、いろんな植物が、砂の上に生えている。　こころみに指で掘ってみると、テントウ虫が這（は）い出てきた。　アリもいた。　砂を腕の長さほど掘ってみた。　もうその程度の深さで指さきにぬめりを感じたのには、おどろいた。

「四〇メートルか五〇メートルも掘れば、井戸水が出ますよ」

と、ツェベックマさんがいった。　サハラ砂漠とはそこがちがうのだ、と言いたげであった。たしかにそうで、これだけの水気があるために、ゴビはその砂漠地帯といえども生きているといえるし、いろんな動植物も生存しうるのだということがわかった。

砂山は、むろん移動する。

このあたりを遊牧している人などは、砂山がとんでもない場所に移動しているために、とまどったりすることがあるという。

須田さんが、大きな砂の山に登っている。　砂糖の山に登るようなもので、一足ごとに砂がくず

れ、ひどく登りづらそうだった。そのあとを追って、登ってみた。まったく、流沙であった。流沙というのはタクラマカン砂漠の特徴だろうが、ゴビ砂漠にも一部この状態があるとはおもいもよらなかった。

須田さんは流沙とたたかいつつ、ようやく頂上に達した。そのあと、くびからぶらさげている画板のふちを腹でささえ、砂丘の稜線を描きはじめた。やがて這い登ってきた私に、

「玄奘三蔵が、ここを通って行ったにちがいありませんね」

と、感動をこめていった。むろん天竺へ行った玄奘の道ははるか南のほうなのだが、須田さんのイメージの世界では孫悟空と猪八戒と沙悟浄をつれて流沙を通ってゆく馬上の法師の姿がありありと見えてしまっているに相違なかった。

ラクダたち

マイクロバスは砂丘地帯を離れ、ふたたびあてどもないような草原に漕ぎだした。

バスのなかは、涼しい。

しかし車外の地表には、太い矢のような光線が、音を立てるようにしてふりそそいでいる。

もしこの光線のなかで裸で一日中動きまわるとすれば、一時間で一リットル以上の水分が体から蒸発してしまうといわれている。そのまま水分を補給せずに一日駆けまわっていれば、高熱を発して倒れるか、死ぬか、どちらかである。この事情は、サハラでもゴビでもアメリカの砂漠でも、乾燥地帯においてはすべてそうで、変りがない。発汗という体温の調節機能が大いに働こうにも、乾燥という敵がある。発汗しても皮膚を濡らすにいたらず、すぐ蒸発してしまうのである。

スターカー・レオポルドというアメリカの学者が、『砂漠』(奈須紀幸訳。タイムライフブックス刊)という本を書いた。それによると、人間は有史以前から大乾燥地帯に住んできたが、おなじ哺乳類のラクダの体がそれに適応するようになっているというぐあいには、人間の体には適応についての変化がないという。

人間は文化的に適応してきた。つまり、衣服を着けるということである。

「サハラやアラビアやアジアの諸々の砂漠に住む種族の場合は、かさばった衣服をつけてからだを寒さや暑さから守り、皮膚からの水分の蒸発を防いでいるものが多い」

という。

モンゴル人も、体がカラカラに乾かないように、重武装している。生地の厚ぼったい緞子(どんす)の上衣(というより、すそがすねまであるから、コートというべきかもしれない)、そのコートの胴を黄色い兵児帯のような帯で締め、脚はズボンで覆い(このモンゴル人のズボンが十三世紀にヨーロッパに影響をあたえてこんにちのズボンになったという説がある)、さらに下肢をどっぷりと覆っている大きな

長靴。言い遅れたが、えりはぴっちり詰襟のように詰めてある。要するに、皮膚が露出している部分といえば、顔と手首しかなく、これならば水分の過度の蒸発は辛くもふせげるにちがいない。

十二時五十分ごろ、前方にラクダの大群がみえた。

白い包が一つ、草の上に置かれている。ラクダ飼いの家であろう。

モンゴル人はとびきり客好きだし、とくに旅人が好きである。むかしからモンゴルの風習として、見知らぬ旅人が来れば何はともあれ食事を出してくれるし、泊めてもくれる。家族がぜんぶ包を出払って外出するときは、留守中に旅人がきた場合のことを考えて、ご馳走を台の上にならべておく。旅人はぬっと入ってきてそれらを飲み食いし、そのまま出て行っていい。これらの心遣いというのは草原の掟といってよく、いまも昔もこの遊牧社会をささえてきた精神要素のひとつなのである。血肉まで融けこんだこの習慣が、モンゴルにおいて社会主義を可能にした大きな要素といえるかもしれない。

包の前に、家族が出むかえてくれた。

「日本人であるか」

と、大男の家長が、抱きついてきた。家族はみな戸外にいる。肥った夫人、それに息子だという青年が二人、小さな女の子が四人。そしてラクダが五十頭ほど。ラクダ飼いの家だ。

包に招じ入れられると、テーブルの上に各種の乳製品がならべられている。ラクダ飼いの家だ

から、ぜんぶラクダの乳から作った乳製品で、まず、金属製のドンブリにいっぱい、醗酵させた
ラクダの乳酒をすすめられた。一息に飲んでみた。

「もっと、飲め」

と、また注がれた。胃下垂になりそうな気がしたが、ともかくも二杯目を飲みほした。なにし
ろ空気が乾燥しているから、水分はたっぷりとらねばならない。水分の摂取は、あくまでも乳酒
に拠っている。飲みほしてドンブリを台の上に置くと、

「もう一杯」

と、すすめられた。手をふってあやまると、横からツェベックマさんが、「ここの家の駱乳酒
はとくべつおいしいんです」とすすめた。やむなく三杯目のドンブリをかかえてしまった。三パ
ーセントほどのアルコール分だが、すこし頬が赤くなった。

戸外に出て、ラクダをながめた。
モンゴルは言うまでもなく、二コブ・ラクダである。前へまわってその愚直そうな顔をながめ
ると、目が可愛い。目の特徴はマツゲが長いことで、二列になっている。砂あらしをふせぐため
である。ラクダは体のすみずみまで砂漠で暮らすことに適しているが、人間はかならずしもそう
ではない。まつ毛ひとつでも、たとえばモンゴル人はむしろ短いほうである。
私は、手綱のついたラクダに近寄り、乗ってみた。座ぶとんのように大きな足が、べたっ、べたっと砂を踏んでゆ
乗ると、ゆっくり歩きだした。座ぶとんのように大きな足が、べたっ、べたっと砂を踏んでゆ

く。足の形態は、いかにも砂を踏むことに適いている。

落ちないように、前方のこぶの毛をつかんでいた。こぶの毛の摑みぐあいは、あたり前のこと

だがラクダの下着の感触に似ている。

ラクダは「砂漠の船」といわれる。人間とはちがい、水を飲まずに三日でも四日でも歩く。と

きに二十日以上も水を飲むことなくすごすという能力をもっている。そういう場合、こぶの中に

てきてついに無くなったりするらしいが、しかし一般に信じられているように、このこぶの中に

平素水が貯えられているということは、ラクダに関するほとんどの書物が否定している。こぶが

貯蔵しているのは、脂肪である。数日水を飲まない場合、この脂肪が体のなかをまわって、体が

乾くことを防ぐらしい。

ラクダの適応性にくらべると、人間の体というのは朴念仁（ぼくねんじん）なものだ。砂まじりの草原に住むモ

ンゴル人が、解剖学的に地球の他の地帯の人間と異なるかといえば寸分も異ならない。人間という

は文化的に適応力を身につけてしまうからであろう。このモンゴル草原は寒も暑もはなはだしく、

さらには生体から容赦なく水分を取りあげてしまう乾燥力をもっているが、モンゴル人はこれに

対して夏も厚い衣類で体の水分の蒸発をふせぎ、フェルト製の包に住み、乳酒をふんだんに飲ん

で水分を補給し、その乳酒その他の畜産加工品を得るために牧畜をやっている。飼われている動

物たちも、また動物たちが食べる裸一貫で自然に適応しているのに、人間だけが文

化能力だけで適応している。ラクダがしたたかなのか、人間がしたたかなのか。

ただ、これは解剖学的に違うのではないが、モンゴル人の両眼がもっている視力ばかりは、地球の他の地域の人間にくらべて格段の差ですぐれている。

モンゴル人の目は、瞼が厚ぼったく、ひと皮目で、一般に細く切れている。この目はすばらしく遠目が利き、地平線にかすかにあらわれた人影が男か女かという区別ぐらいはたいていのモンゴル人にはつく。

たとえば、毎年七月十一日は、モンゴルの革命記念日である。この日、恒例の大競馬がある。騎手は五歳から七歳ぐらいまでの少年少女で、千騎以上が参加する。それが、五〇キロを走破しきって首都ウランバートル郊外のゴールに殺到し、一等から何等かまでを決める。

この日、各国の外交官や、各国から招待されたひとびとが、大会委員席のそばの大天幕で待っている。やがて最初の一騎が地平線にあらわれるころ、モンゴル人の席は大いにどよめくのだが、このときばかりは各国の外交官たちはモンゴル人に対し生物として劣弱感を持たざるをえない。だれもが、その最初の一騎が見えないのである。見えないどころか、よほど経ってようやく目のいい人が、

「あれがそうじゃないか」

と、言い出す。日本大使館は、昭和四十八年七月に開設された。だから館員たちはその年の競馬を見たし、いかにもジンギス・カンの末裔というにふさわしいこの壮大な催しについて私にもくわしく語ってくれた。鯉淵君という若いひとが、

「モンゴル人がどよめいてから、外国人席が最初に発見するまで、五分か十分……いや十分です
ね、そのくらいのひらきがあります」
と、いった。
モンゴル人の遠目のよさというのは、そのくらいのものらしい。
この目のよさに関連してのことだが、ウランバートルで知り合った政府関係の雑誌編集者が、
「日本人の目なんて、だめだ」
と、すこし酔っぱらってはいたが、からむように私に言った。日本人はメガネをかけている。
それだけでなく、カメラを持っている。モンゴル人は写真機を持つこともきらいだが、写される
こともきらいだ、という。
「モンゴル人の目は写真機を必要としない」
と、いう。「この二つの目で」と、かれは自分の両眼を指さしながら、
「覚えてしまうのだ。決して忘れない」
と、かれはいった。
景色もそうだし、人の顔もそうだ、とかれはいった。
遊牧人であるモンゴル人は、いまも昔も行動半径が巨大である。十三世紀の昔にいたってはは
るかにヨーロッパまで押し寄せて行った。その間、遠征軍と本国のあいだに、伝令が往来した。
伝令たちはユーラシア大陸を一騎ずつ駆けに駆けてゆくのだが、だれも道をまちがう者がなかっ
たといわれる。写真にとれば何十万枚にのぼるであろう途中の景色をみな記憶してしまっていた
らしい。

またモンゴル人は人の顔を忘れないというのは、精松教授も語っておられた。あるモンゴル人が東京にきて、百人以上が出席した歓迎会に出た。精松教授も歓迎側の一人としておられたのだが、こんどウランバートルにきて、街頭で、「おうおう、アベマツ・バクシ」とそのモンゴル人が抱きついてきたという。「歓迎会で、おおぜいの中で、握手しただけなんです。それも、十年前のことです」と、精松教授は、ほんの一例として、その話を持ち出した。

ラクダの上から降りた。

ふたたび包の中に入ると、主人がまた駱乳酒をドンブリいっぱい注いでくれた。

「ラクダは、何頭いますか」

と、きいてみた。

「二十五頭」

主人は答えた。最初、五十頭ときいたのは間違いだったのか、それとも、聞きまちがいだったのか。

「自分が持っているラクダの顔を、みな覚えていますか」

「顔?」

「顔です」

と、私は自分の顔を指さした。

「あなたの顔?」

モンゴル人は、私の顔をまじまじと見た。　私はあわてて、

「いいや、ラクダの顔です」

と、言い直した。が、言葉がおそろしくヘタで、どうにも質問の真意が伝わらない。

「——他人のラクダが」

と、私は言い直した。

「このあたりに入ってくる。そのラクダ、わかりますか」

「わかります」

「すると、このラクダ、あのラクダ、遠いラクダ、近いラクダ、みなわかりますか」

と、悪戦苦闘していると、ツェベックマさんが吹きだした。　彼女は私の質問の意味を察してくれて、質問に答えてくれた。　モンゴル人は自分が持っているラクダはみな覚えているし、また友達のラクダ飼いが持っているラクダもみな覚えているという。

おそらく覚える必要があるなら、たとえ千頭のラクダでも、一頭ずつ覚えてしまうにちがいない。　つまり、生きものを覚えるという生活環境が、ひいては人間の顔も——おなじだから——覚えてしまうという能力につながるのかもしれない。

私の手帳によると、午後一時四十分、このラクダの草原を辞した。

マイクロバスに乗って座席にすわると、須田画伯がいない。

須田さんは、まだラクダの群れの中に残っていた。　脚を前後にひらき、反りかえって、腹で画

板をささえ、しきりにスケッチしている。ひどく駘蕩(とう)とした風景で、ほうっておけばラクダの仲間にまじってラクダに化ってしまいそうな危なっかしさもあった。

バスが動きだしてから、群れから離れ、ゆたゆたと歩いてきた。

呼びにゆくと、須田さんは私のほうをふりむいた。血相が変っていた。

「シバさん。こんなところに一人でおっぽりかされたら、あなた、どうします」

と、いった。いまさらながら、景色をみて怕くなったらしい。まったく、ラクダもバスも、地球のなかの一塵にすぎないといった感じの草原である。

騎馬について

ラクダの遊牧を見た以上、馬の遊牧が見たくなった。

この大空間を見渡したところ、空と草原と地平線があるのみで、馬の影がない。

「馬は、遠いですか」

と、ふしぎな日本語で、ツェベックマさんにたずねてみた。正しくは、「馬の遊牧場は、ここから遠いですか」というべきだろう。しかし彼女は即座に理解した。彼女の日本語の会話能力が

そこまで熟達しているというより、そういう言い方が、語法の似たモンゴル語でも、日常のお喋りの中にふんだんにある。

「さあ、どうかな、遠いかな」

ツェベックマさんはマイクロバスにもどり、運転手の精悍な中年男に、なにごとか命じた。運転手は、うなずき、ギアを入れた。

車は半回転して、走りはじめた。べつに道はなく、走りたい方角へタイヤをむければいい。運転手は軍隊で操縦を習ったのか、操縦姿勢がよく、ハンドルに対し、正しく姿勢を保っている。

「モンゴル人は、たいてい運転ができますか」

ツェベックマさんにきいた。首都ウランバートルの居住者ならたいてい出来る、と彼女は答えた。なるほど首都には車の数も多い。それに男たちは、軍隊で習うという場合が多いだろう。

モンゴルの軍隊は、当然なことだが、車輌化されている。荷物運搬のトラック、歩兵輸送の無限軌道車、戦車、砲戦車、砲の牽引車など、すべて車輌である。兵役は義務制だから、たいていの男は、車輌の操縦と簡単な整備ぐらいはできるはずである。

「馬は？」
「馬？　騎れますよ、たれだって」

と、ツェベックマさんがいった。なにしろ国章までが、馬なのである。いまもむかしも、国家をあげて、この民国章の中央に、疾駆する一騎の人馬がえがかれている。モンゴル人民共和国の

族は騎馬を愛する。

「ツェベックマさんは、騎れますか」

「………」

声を出さず、ただうなずいた。くだらないことをきくな、という感じだった。

馬というのは、モンゴル語で mori というのだが、中国語の馬の音である ma もしくは me に影響をあたえた——というのは誇大な想像であるとしても——共通の根があるのではないか。

中国大陸の華北は、古代、農耕生産者である漢民族の都市国家が存在し、漢民族圏の周辺の乾燥地帯から騎馬民族が攻めてきた。自然、馬という言葉が共通になったのかもしれない。

『史記』の「匈奴列伝」に、匈奴が持っている家畜はふつう馬、牛、羊で、特殊な家畜としてラクダなどをあげているなかで、駃騠（けってい）という大型の馬（いまのアラビア馬に近い）を挙げている。駃騠という古い漢民族語は、モンゴル語の「馬」の別語である kuti から来た、という説があるほどだから、馬という言葉も、あるいは騎馬民族の言葉が中国語に流入したのかもしれない。それが

さらに日本語に流入した。『広辞苑』（第二版）では、

——朝鮮語マルと同源か。また、「馬」の字音による語という。

とある。モンゴル語のモリも朝鮮語のマルも、要するに中央アジアのウマは、遠く中央アジアにさかのぼる言葉を共通の祖語にするのに違いないから、要するに日本語のウマは、遠く中央アジアでひろく使われていた言葉かと思われる。私はかつて、梅がウメになり、銭がゼニになったようにウマも漢音のマの変化

かと思っていたが、どうもウマは、中央アジアから朝鮮半島経由の言葉であるかもしれない。

人間がジカに馬の背に乗っかって行動するというのを発明したのはスキタイ（前六世紀から前三世紀ごろまで黒海北岸の草原で活躍したイラン系民族）であるといわれているが、そのころギリシャ人や漢民族は馬にのれなかった。馬といえば、馬に軛（くびき）かせる戦車しか持っておらず、騎馬武人の軽快な運動性にとてもかなわなかった。

ユーラシア大陸の西方においてスキタイが消滅するころ、東方においては匈奴という大役者が出現する。黒海で発生したスキタイの騎馬法がはるかにこのモンゴル高原へ東漸したのである。匈奴という大騎馬民族が出現するのは紀元前三世紀だから、スキタイの消滅とほぼ時期を同じ（じ）ゅうする。

その匈奴が、中国の春秋戦国時代（紀元前七七〇～前二二一）の末期にあらわれて北方から南侵をくりかえし、五世紀までその苛烈な反覆をつづけるのである。漢民族はこの、人が馬の背に乗って騎射する連中に対し、戦車と歩兵で戦ったが、とうてい歯が立たなかった。

戦国の末、趙の国に武霊王（在位紀元前三二五～前二九九）という英雄的な王が出た。趙はしばしば匈奴の侵略になやまされてきたが、武霊王はこれに勝つにはいっそ漢民族の側も匈奴の騎馬法を用いるにしかずとし、軍制を一変させた。『史記』に、そのように書かれている。

「馬に、じかに乗るのか」

と、当時のひとびとは仰天したであろう。騎馬するには騎服が要る。武霊王はその国軍の服装

を匈奴の服装に変えさせた。帯のベルト（帯鈎）まで着けさせた。世界の文明社会が、われわれが

いま着けている鉸具やベルトを採用した最初ではあるまいか。

この騎馬民族が五世紀のころの日本列島にやってきて征服王朝（応神、仁徳を代表とするような）

を樹立したとするのが、江上波夫氏の「騎馬民族日本征服論」である。

そのころを象徴するかに見られる後期古墳には、馬具が出土したり、馬に関する壁画などが多

く出てくるが、しかしその後の上代日本では騎馬集団の大衝突という戦争形態は見られない。

つまり、馬そのものを飼う情熱も衰弱してしまうようである。たとえば上代では河内国に官営

の牧場がたくさん存在したようだし、そのための専業氏族である「馬飼部」とか、その長である

「馬飼首」なども存在したようだが、しかし六世紀の継体天皇のころになると、一例だが、「継体

紀」に登場する河内の馬飼首荒籠なども、氏名だけでもはや馬などはあまり飼っていない印象に

なる。その後、世がくだって壬申ノ乱などという大きな内乱があったが、主として歩兵戦だった

ように思える。

要するに、とくに畿内の地は地形が狭く、水田が発達して、騎馬戦を可能にする条件もなかっ

たし、また律令体制下の農業も、馬耕を必要としなかったどころか、むしろ邪魔だったのであろ

う。ただ、平安中期になって、関東平野に騎射を得意とする騎馬武士団が技能と勢力を拡大して

くるのが、むしろ全日本的には、例外的存在だったといえるかもしれない。

日本の戦国のころも騎馬は活躍するが、しかし乗馬は将校だけのもので、戦闘単位における比

率は、徒士や歩卒が圧倒的に多かった。そのもっとも極端な例は、戦国末期、日本最強の軍団と
いわれた薩摩の島津氏が、将校もなにもぜんぶ徒歩兵で構成された軍隊であったことを思うと、
古代に騎馬民族の征服王朝が存在したとはいえ、その後の日本は馬の国であったとは、とても言
いがたい。

さらに例をいうと、幕末に幕府が洋式軍隊を編成したが、歩兵や砲兵はできても騎兵は持とう
に持てなかったし、また戊辰戦争は敵味方とも歩兵戦であったし、いま一ついえば、明治維新成
立のすぐあと、東京の天皇の唯一の直接的な武力として薩長土三藩が供出した「御親兵」という
ものができたが、このとき土佐藩が、洋式騎兵（馬は日本馬）一個小隊を供出した。この一個小隊
が、日本唯一の騎馬集団だったことを思うと、いよいよ日本は、はるかな遠視はべつとして、騎
馬には縁が遠い。

中国の戦国末期の趙の国が、匈奴のまねをして軍制を騎馬式に変えたと『史記』ではいうが、
なんといっても趙は農業国のはずであり、騎馬軍の実態はおそらく大したことはなかったにちが
いない。

なぜなら、騎馬民族というのは軍団を組んでゆくときに、一騎あたり、乗り換え用の馬を十頭
内外は曳いてゆくのである。行軍や戦闘で馬が疲労すれば（乗用の馬は疲労しやすい）どんどん活
力にみちた馬に乗り換えてゆく。匈奴というのはネコもシャクシも、乗り換え馬をもっているの
だが、そういう贅沢は、農耕地帯の国では不可能にちかく、ひるがえっていえば、乗り換え馬を

もたない騎馬軍というのはカッコウだけのもので、内実は弱い。　趙の国の新設騎馬軍の兵たちは、

それだけの乗り換え馬を持たされていたであろうか。

日本史の場合、平安末期に関東平野で成長した騎馬武士たちは、関東一円がほとんどが牧場の

ようなものであったため、乗り換え馬はふんだんに持っていたらしい。

かれらがのちに、騎馬戦に不得手な平家を圧倒すべく西国へ大遠征するとき、中級の武士でも

数頭の乗り換え馬をもっていたといわれる。平家はおそらく将領クラスでないと、それが可能で

なかったにちがいない。

十三世紀に世界征服を遂げたモンゴル帝国の遠征軍というのは、その兵力はせいぜい十数万騎

から二十万騎程度のものであったであろうが、かれらは一人ひとりが二十頭ほどの乗り換え馬を

曳っぱっていたといわれる。

その戦力の重大な要素は、そのあたりにあったであろう。その西征軍はいたるところでヨーロ

ッパ軍を破り、ハンガリー平原を踏みにじり、一時はイタリアの辺境、ウィーンの近郊にせまり、

ドナウ川に馬蹄を洗った。さらにドナウ川以西の西ヨーロッパに攻め入る余力は十分に残してい

たし、キリスト教世界は大恐慌におちいるのだが、偶然、モンゴル側の事情（ウゲディ・カンの崩

御）によって遠征は中止され、潮のようにモンゴル高原へひきあげてしまうのである。

ウゲディ・カンの崩御の報は、騎馬の伝令によった。伝騎は、いまのモンゴル人民共和国にあ

る古都カラコルムから疾走を開始し、途中、モンゴル軍が設けた駅々で馬を乗りかえ乗りかえし

て、わずか三カ月でハンガリー中部の遠征軍の本営に達したといわれる。モンゴル帝国の時代、モンゴルの伝騎はこのときだけではなく、たえず、カラコルムを発し、あるいはカラコルムにもどり、ユーラシアを駆けまわっていた。すべてがこういう騎乗能力をもっているということは、とうてい農業国家の条件ではむりである。

夕方の五時ごろ、太陽はむろん真昼のようにかがやいていたが、馬の遊牧地に着いた。馬飼いの包が一つあった。

馬が、あちこちで群れている。

包のなかから、ソフト帽をかぶった老人が出てきて、私どもをみると、深いしわをひろげて笑顔を作った。何頭ぐらい居ますか、とたずねると、かれは片手をひろげた。

五百頭らしい。

どの馬も、むかしの日本馬のように小さく、脚がふとい。世界中のどの馬よりも耐久力があるうえに、粗食に堪えるといわれる。

包のそばに、あるじの乗用らしい馬が二頭つながれている。

モンゴルの馬の繋ぎ方は、日本のように杭に手綱をからませてつなぐのではない。ボールが二本、七メートルほどの間隔で立てられている。それに、たかだかとロープが一本、横に張られていて、そのロープの中央あたりから別に垂直にロープが垂れている。馬は、その垂

直のロープに、胴をしばられて立っているのである。

モンゴル馬の特徴は、繋がれているときは何時間でも微動だにしないことだといわれる。繋がれていなくても、同様な状態、たとえば主人が友人の包を訪ねて酒などを飲んでいるとき、戸外で主人を待って微動だにしない。冬など、動かぬ包の前の馬に雪が降り積もってゆくといわれるが、このとき、二本のポールの間にいる馬もそうであった。心持ち首を垂れたまま、木馬のように動かずにいる。この温和な馬とともに、モンゴル民族は紀元前このかた、この高原で消長を経てきたのである。

騎馬の場面

馬の包(バオ)で、また馬乳酒をふるまわれた。

断わろうとおもって手をふったが、馬乳酒の大ドンブリをかかえた老人はニッと笑って、私に押しつけてくる。　私はモンゴル語を想いだそうとした。モンゴル語で既に、というのは、たしかニゲンテだった。　私はモンゴル語を想いだそうとした。モンゴル語で既に、というのは、たしか

「私(ビー)　すでに(ニゲンテ)　飲んだ(ウチホッシン)」

モンゴル語というのは何度もふれたが、日本語と遠い同祖（四捨五入すれば）だから、語順がお

なじ程度の、単語を思いだしさえすればいい。現在形も過去形も、日本語と同様、飲む、飲んだ、と

いう程度の、ちょっとした小細工があるだけである。

しかし老人は聴き入れず、

「あれはラクダの乳だったろう」

と、私をのぞきこんだ。幼児のような、きれいな笑顔である。

「これはお前、馬の乳だぜ」

私は参ってしまい、結局、ドンブリを頂戴して口をつけた。ここ数日間、気にならなかった馬

乳酒のにおいが、軽く刺すように、鼻腔を刺激した。気づいてみると、このにおいがモンゴル人

のにおいだった。モンゴル人が空港やラマ寺で群れていると、このにおいがするのである。

ところで、この老人がなぜラクダといったのか、と気になった。私どもが一時間前にラクダを

遊牧している包にいたことをちゃんと知っているのである。

モンゴル人社会における噂の伝達・伝播の速さが神秘的だという話を、若いころきいたことが

ある。旅人が包に泊まって、さらに一日行程をゆき、つぎの包に泊まって、その包の主人は旅人

が前夜どこで泊まったかを知っている。その間、連絡がありえないだろうという状況においてで

ある。

人間は、噂を好む。

モンゴル人もこの嗜好家であることにはかわりない。ただモンゴル高原における噂は、政治社

会や商人の社会の情報のように現実的価値を生むというものではない。モンゴル人においてはた

だむしょうに客好きで——人間は人間が娯楽だということをしみじみ感じさせる——その噂の客

がおれの包にも泊まってくれないかな、という無邪気な欲求が一般にある。このため客がくると

いう噂がその欲求に吸引され、強力なスピードで曠野を飛ぶのである。

それにしても、大そうな飛びようだ。

——いや、存外。

と、おもった。つまり平凡に考えれば、ツェベックマさんが、われわれがこの馬群の中の包に

到着した早々、この老人に、

——かれらは日本人である。ラクダの遊牧地からきた。

と、いったかもしれない。しかし、

「この老人、早耳ですね」

ツェベックマさんに、きいてみた。われわれがラクダの世界からきたことをもう知っているじ

ゃないですか、ツェベックマさんが教えたのですか、というと、彼女は、

「フンフンフン……」

と、かぶりを振って、

「あの連中が教えたのよ」

包の入り口にうずくまって馬頭琴を掻いこんでいる二人の若者を指さした。

若者は二人とも頭をGI刈りにし、どちらも青色のモンゴル服を着ていた。

「あの若者は、この老人の息子さんですか」

「アッハハハ……」

ツェベックマさんは、笑いだした。

「ちがいますよ。うちの子じゃないの。ホラホラ、宿営地の食堂で自動発電機をまわしている子と、もう一人は料理の主任さん……」

「…………」

「もう、忘れた？」

彼女は、また笑いだした。日本人はモンゴル人にくらべて顔の記憶力にとぼしい。

「もう忘れた？」

何度もいって、笑う。顔を記憶することの天才であるモンゴル人にとって、日本人の顔についての忘れっぽさが、偉大なユーモアになるらしい。

「どういうわけで、そんなに忘れっぽいのですか」

彼女は、私をからかった。

しかし私の側からいえば、草原におけるモンゴル人の神出鬼没こそ、ユーモアの対象になる。

「かれらは、いつここへ来たんです」

と、彼女に半ば抗議するように質問した。この二人の若者は、私どものマイクロバスを宿営地で、たしかに手を振って

そうではないか。

見送ってくれたのだ。それがもうここに来ているなど、誰が想像できるだろう。別人と思うのが当然ではないか。しかしあの宿営地はほかに車がなかった。どういう手段で、ここに来たのか。

「馬ですよ」

ツェベックマさんが、つまらなそうに、答えた。

私はあらためて若者たちを見た。あの神秘的な行動力をもっていたジンギス・カンの伝令を見るような思いがした。

「……なるほど、馬」

「だから、モンゴル服を着ているのです」

あの二人は私どもの宿営地で勤務していたときは、どちらもセーターにトレパンに似た粋なズボンをはいていた。それが、モンゴル服に早変りしているために、私は、弁解するのではないかと見違えた。

二人は、草原で陽焼けしているほかは日本人と寸分変らない。日本人の平均身長よりモンゴル人のそれは五センチは高く、容貌は一般に、朝鮮人と比較してさえ日本人のほうに酷似している。この若者の場合も、一人はぱっちりとした二重瞼で、他の人は大工の熊さんといった感じのずんぐりむっくり君が、馬頭琴を弾きだした。

そのむっくり君が、馬頭琴を弾きだした。

馬頭琴はモンゴル民族独特の楽器で、音も仕掛けも中国の胡弓に似ている。しかし胡弓の影響

でできたものでなく、元帝国のころ、色目人（アラビア）が持ってきたラバーブ（二弦の弓奏楽器）の変化したものだといわれる。

三味線の胴のようなものに羊皮が張られていて、共鳴装置になっている。その胴から一メートルほどのサオが伸びていて、そこに二本の弦が張られている。二本の弦は、馬のシッポの毛である。その弦へこすりつける弓も、馬のシッポの毛である。つまり馬のシッポ同士が摩擦しあうのだから、音は蚊の鳴くように小さい。このむせぶような微妙な音を、モンゴル人は何世紀もかぎりなく愛してきた。

こんなに天も地も静かな所にいて、たとえ大音響の楽器を用いてもだれに遠慮することもないのだが、しかしモンゴル人は、他にも例証があるが騒音を好まない。

若者は、ささやくような声で歌いだした。

ツェベックマさんのいうところでは、よほど古い唄だという。節まわしが追分に似ていて小節も多く、日本の民謡を思わせる。両民族とも、言語が、テニヲハで結びつける膠着語をつかっているために、唄の節まわしまで似てくるのであろうか。

「だれでも、あんなに小さな声ですか」

「低声が多いですね」

と、ツェベックマさんがいった。狭い包の中で互いに額を近づけ合いながら弾いたり唄ったりするために、このように低い音なのか。

「曠野で、羊を追いながら叫ぶように唄うというやり方はありませんか。いいえロシア風でなく、モンゴルの伝統的な唄い方の中で」

ときくと、彼女は首をかしげて答えなかった。おそらく無いのかもしれない。日本でも、風の中で叫ぶように唄う発声法が発達せず、四畳半の空間にきこえる程度の唄い方が伝統になってきたように、モンゴルと日本と、これだけ距離がはなれつつ、かつ自然環境を異にしつつも、似たような発声の伝統を持ったというのは、どういうことなのであろう。薄気味がわるいほどである。

包の外へ出た。

馬が群れている。同心円を幾重にも作り、どの馬も円の中心にむかって首を突っこむように、われわれのほうには尻をむけて、もぞもぞと群れている。馬格が小さく、脚が短く太いために、競馬馬にくらべるとひどく愛嬌がある。

「あの子に、馬を獲らせましょう」

ツェベックマさんが、目がぱっちりした二重瞼のほうに、寄って行った。

かれはうなずくと、馬の群れに寄ってゆき、その一頭に、目もとまらぬほどの速さで乗った。そのときはもう、大身の槍のようなものを掻いこんで馬上で揺れている。

この長い棹は楊柳の木で五メートルはある。その先端に、輪になったナワがぶらさがっている。モンゴル語でオールガとよばれる馬獲りの棹で、モンゴルのカウボーイはかならずこれを左脇にかいこんでいる。アメリカの西部劇では馬や牛を獲るのに投げナワが使われるが、投げナワより

オールガのほうが使い勝手がよさそうだし、馬上の姿もいい。

棹はずいぶん重い。これを自由に操作するのは大変な腕っぷしが必要だし、まして疾走する野馬をひっかけた（頸に）場合、逃げようとする野馬の物凄い力が、このオールガにかかってくる。腕っぷしが弱ければ逆にオールガが宙に飛んでとられてしまうし、とられないまでも馬上からひき落とされてしまう。

モンゴル人は、それをかるがると操作する。かれらの腕っぷしはいまの日本人の比ではないといわれているが、これをみても遊牧とはもともと百姓や商人に真似できるものでなく、武人の産業といえるかもしれない。

やがて、棹のさきの輪で、野馬の頸をからめた。野馬はきらって逃げ切ろうとし、その瞬間、すさまじい力が働き、棹がひっぱられそうになった。それにつれて若者の右肩がわずかにゆらいだが、若者は速力をさらにあげることによって、魚釣りでいう「竿をあわせる」ようにした。野馬と騎馬とがおなじ速力になって、馬群のまわりを何周もまわってゆく。やがて野馬が観念する。野馬と騎馬とがおなじ速力で疾走をやめ、歩きだす。そのとき騎馬の側がなお走っているようでは、野馬に突っかけてしまう。騎馬は、急ブレーキをかけたように

若者は砂塵をあげて疾駆しはじめた。列外へ飛び出した馬を追っているのである。若者の馬上の姿勢はいかにも紀元前からの騎馬民族らしくほれぼれするほどで、私どもの記憶にある西部劇での騎馬シーンなど色あせるほどであった。

止まらねばならない。

止まるとき、若者は右手で棹をかかえつつ、左手で手綱をうんと引いた。若者の馬は前脚をそろえて突っぱり、急停止した。そのとき前脚の二つの蹄が土にめりこんで濛々と砂の塵をあげた。鞍の上の若者は、しなやかに背を反らす。まことに、カッコイイ。このカッコイイ騎馬運動の瞬間は、どの西部劇でも見せ場の一つにしているのだが、若者はわれわれへのサーヴィスのつもりで西部劇のまねをしてみせてくれたのではないか。

そう疑わしく思える材料は、ウランバートルの劇場で、しばしば西部劇映画がかかるという話をきいたことによる。

この目の大きい若者は、宿営地で働いているときも服装のセンスがよくて、いい意味での気取り屋なのである。かれはかつて映画の主人公の騎馬動作をみて、

（あのかっこうは、イカスなあ）

と思ったのではないか。

「どうだ」

と、いまわれわれの前で、馬の両脚を突っぱらせて、急ブレーキをかけてみせたのか。

と、想像して、私はひとりおかしくなってげらげら笑った。前にいたツェベックマさんが、ふりむいた。私はあわてて、

「かれ、止まるとき、いいかっこうでしたね」

というと、彼女はべつに面白くもなさそうに、そうですか、といった。私は、自分のこの感じ

をどう説明していいかわからず、あれはむずかしいんでしょう、というと、彼女は、べつにむず

かしくはない、といった。

「だって」と言いながら、

「急に止まらなきゃならないとき、誰だって力いっぱい手綱をひきますよ」

私は、世界中の誰もが、民族文化とはべつに、そこに参加して肩をゆすったり腰をふったりし

てみたくなる地球上の美的流行というものに興味があるのだが、このイメージは、私に説明力が

なくて、彼女に伝えにくい。やむなく西部劇のことだけをいうと、

「ダメダメ、こっちの方が先輩」

と、ツェベックマさんはいった。モンゴル人は、世界史上最古の騎馬民族ではないが、いまな

お現役という意味では最古にして最大といっていい。彼女はその民族のこけんにかけて一笑に付

したようである。

アルタン・トプチ

この草原の民が十三世紀に世界的膨脹をとげたとき、いくつかの文学書を生んだ。『元朝秘

史』が、その代表的なものといっていい。むろん、この書名は中国語で言いならわしたもので、モンゴル語では、漢語借用のすくなかった『古事記』の時代の日本語と同様、長ったらしくなる。

——モンゴルの秘められたる歴史。

というのである。ときに『蒙古秘史』ともいわれる。また最近、平凡社の東洋文庫シリーズで、元朝秘史よりモンゴル秘史として定着してゆくほうが、『モンゴル秘史』という書名で刊行された。

村上正二氏の精密な訳注により、『モンゴル秘史』という書名に忠実かもしれない。

この書物は、かつてユーラシア大陸を往来した草原のひとびとの秘密を説く宝庫として、十九世紀以来、ロシア、ドイツ、フランス、イギリス、日本、ベルギーなどの学者によって精力的に研究され、戦後さらに、モンゴル学・アルタイ学の参加者のひろがりによって、その研究がさかんになった。日本の『古事記』や『万葉集』は、残念ながら、まだこれほどの世界性をもたない。

また隣国の中国において、これについての、あるいはひろくモンゴル学についての著われた学者を見ないのは、中国文明の伝統的特徴という点で、興味がある。自己の文明の周辺に文明は存在するはずがない（事実、それに近いが）というもっとも高貴な保守性のためであろうし、このことは中国にあっては、『源氏物語』の研究者さえいないという事情と、やや通じている。

上天《あまつかみ》からの定命《さだめ》によって〔この世に〕生まれ〔出〕た蒼い狼《おおかみ》があった。その妻は、白い牝鹿《めじか》であった。大湖《おおみずうみ》を渡ってきた。オナン河の源のブルカン岳に住居《すまい》して、生まれたバタチカン〔という名の子〕があった。（村上正二氏・訳）

からはじまる『モンゴル秘史』は、モンゴルの開国説話や、遠祖たちの挿話をのべつつも、ジンギス・カン一代および太宗の死の前年までの〝歴史〟が書かれているが、この草原のにおいに満ちた文学的史書から、モンゴルの歴史だけでなく、この草原の土俗や社会、言葉などを、われわれ素人でもさまざまに感ずることができる。

のっけから『モンゴル秘史』などを持ち出してしまったのは、あとの驚きについて触れたいためだったが、触れついでにいますこしつづける。

ジンギス・カンの父は、イェスゲイといった。

イェスゲイは勇士の称号をもち、小さな部族を統べていた。かれが未婚の時代のある日、オナン河のほとりで鷹狩りをした。そこへ、人がきた。一人の美しい少女が車に乗ってやってくる。馬上の男は髪形や服装からみてメルキト族で、少女はオルクヌート族であることがわかった。新郎が新婦をもらって帰るところらしかったが、イェスゲイはその少女をひと目みて自分の妻にしたいと思い、兄や弟をよんできて、メルキト族の男を追っぱらってしまった。

少女の名は、ホエルンという。のちにジンギス・カンを生む。

この話は、一六三〇年前後に成立した別のモンゴル史――『アルタン・トプチ』――では、さ

らにくわしい。アルタンとは黄金。トブチは鏨。モンゴルの史実、伝承、説話、歌謡が盛りこま

れており、『モンゴル秘史』とならぶ史書だが、この『アルタン・トブチ』では、少女が車から

降りて小用をし、やがて少女は車にもどり、男に守られながら立ち去るという情景がある。

そのあと、イェスゲイら兄弟があらわれ、少女が小用した痕をしさいに検分するのである。こ

の情景は、農耕社会の感覚では卑猥かもしれないが、草原遊牧社会ではむしろ厳粛な習慣に属す

る。

「この娘は、善い子供を生む」

と、イェスゲイは小用の痕でもって判断し──結局、ジンギス・カンを生むのだが──、おな

じ小用の痕をのぞきこんでいたかれの兄や弟も賛成した。こういう優生学的な習慣も、農耕社会の

恋愛ではちょっと考えられない。だから、掠奪しておれの妻にするという。この少女が敵対部族

であるメルキト族に興入れしてそこで英雄的な子を生んでしまえば、やがてはイェスゲイがひき

いる部族（これがモンゴル部族。かれの部族のこのモンゴルというちっぽけな名前が、のちにジ

ンギス・カンの伸張によって同種族の総称になり、やがてはモンゴロイドという人種名になり、わ

れわれ日本人まで含められることになった）が、圧倒されるか、ほろぼされることになるだろう。

だからあの少女を自分の妻にせねばならない、というのが、イェスゲイの恋愛の動機のひとつ

なのである。

草原の上に轍の跡がついている。かれらはその轍の跡をつたいつつあとを追い、やがて追いつ

き、男を追っぱらって、その少女ホエルンを得た。『モンゴル秘史』には少女ホエルンが嘆き悲

しみつつ美しい即興の詩をうたうくだりがある。

この小用の占いについては、小林高四郎氏の『ジンギスカン』(岩波新書)には、ヤクート族(筆者註・現ソ連領東シベリア最大の種族)にも見られる説話だという意味のことが書かれている。

話を、馬の遊牧場にもどす。

馬はラクダよりも親しみがあるせいか、この遊牧場にいることが面白く、ずいぶん長い時間、遊ばせてもらった。

途中、馬たちから離れて、用を足したりした。

家内も、この場にいた。

彼女が用を足したくなったらしく、私のひじを突ついた。私も、この大草原の真只中ではいい思案があるはずがなく、たまたま思いついて、むこうの包(パオ)を指さし、

「あの包のうしろが、よさそうに思うが」

と、いいかげんなことをいった。包のまわりには人影もないし、どの人たちもみな馬たちのそばにいる。

そのあと家内のことはすっかり忘れて馬に興じていると、家内がころがるようにして——それも笑いで——駆けもどってきた。

包のむこうの草原で用を足して、はっと気づくと、ひどく厳粛な表情の壮漢四人にかこまれて

いたというのである。

　男たちは、逃げ出そうとする彼女に一顧もあたえず、彼女が地上に残した痕跡に関心を集中させた。彼女が逃げつつふりかえると、一人がなにごとか大真面目に説明している様子だった、というのである。

　そのあと、バスにもどった。バスが動きだすと、包の前で、四人の男たちが、べつに手も振らず、笑顔もみせなかったが、しかし好意のある、ゆったりとした表情で見送ってくれた。おそらくその男たちが検分したのかと思って家内にきくと、体中で笑い声を立てながらうなずいた。

　このとき、不意に『アルタン・トプチ』の中の話をおもいだしたのである。

　モンゴルでは陽ざしが強いために皮膚の老化が早く、女性は早く老ける。このため彼等は日本人の女性の年齢を、ひょっとすると間違えたのではないか。もしむこうが包のかげにまわった中年女性を未婚の女性とまちがえて——まさかと思うが——その尿を占ったとすれば、あやまらねばならぬのはむろん当方である。

　それとも、草原の古い歓迎のしきたりとして、はじめて見た婦人の小用は、老若にかかわらず厳粛に検分するということがあるのだろうか。

　そのことをツェベックマさんにきこうと思ったが、事態の説明からやらねばならないので、憚った。どうせ帰宅してから調べればわかるだろうとたかをくくってみたのだが、しかし帰宅後、家中の本をひっくりかえしてみたところ、『アルタン・トプチ』のその説話がいまも習慣として

続いているなどという、のどかな話は、どこにも書かれていない。自然、この話は、せっかくこの稿を『モンゴル秘史』から書きおこしたのだが、話としてはこれっきりのことである。

バスは、宿営地にむかって進んでいる。

須田画伯は、飛びすぎてゆく景色にむかってしきりに、目を動かしている。手だけが大きな画板の上で前後左右に走っており、いくつもスケッチが出来た。

もっとも、大平面で景色は造形をなすとまではゆかない。このため、おなじ平面でもわずかに大地が脹れ気味になっている所にさしかかると、変化に餓えた人のようにすぐさまその稜線を描いてしまう。

「すべて丸い」

と、御自身の心覚えらしく、スケッチのはしに、鐘が割れたような書体の字ですばやく書き入れた。なるほどそういわれてみると地球の丸さがわかるというほどではないが、地平線はかならずしも一直線ではなく、微妙に弧をなしていると思えなくもない。

空に、変化がある。

すでにわれわれは夕陽を背負って帰路についている。途方もなく広い空に、さまざまな形の雲が浮かび、その色も、白、紫、茜といったぐあいに、とりどりだった。

車の右手のほうは、鋸の歯のように厚味を感じさせない山脈がつづいている。その上の手前の

空に、一個の巨大な白雲が浮かんでいて、その雲の底が崩れ、花嫁の結婚衣装のように、裾が地上にまでとどいている。

「あの下は、雨でしょうか」

と、ツェベックマさんにきくと、彼女はかぶりをふった。

「いいえ、雲だけです」

彼女にとっては、ふしぎな景色でもないらしい。

「すると、雲が地上にまでとどいているのですか」

「そうです」

孫悟空が雲に乗って駆けまわっているという童話的イメージは、こういう所へ来ると、当然な現実感がある。あの雲は、いま着陸しようとしているのではないか。

そのうち、虹が立った。

私の常識の中の虹の概念では、はまり切れないほどの太さで、色はあざやかというより、ネオンのように輝いているのである。たまたまこの虹は弧をなさず、太い柱のように、草原のむこうで、ずぼんと突っ立っていた。

あわてて車を停めてもらった。草を踏んで虹のほうに歩き出そうとすると、ツェベックマさんが呼びとめ、背後を指さした。背後にも虹が立っていた。背後の虹は大空の一角をよぎって、みごとな弧を描いていた。これだけ空が大きいと、虹が同時に二本立つものなのか。時計をみると、

午後七時だった。

「もう、いい？」

と、ツェベックマさんが私にいった。　彼女にとっては別にめずらしくもない自然現象なのである。

バスは、ふたたび走り出した。

車中で、彼女は私に質問されるままに、モンゴルにおける日本語研究の状況を話してくれた。

「研究という所までいっていないけれども、学生のあいだに日本語熱は高いです」

と、彼女はいった。

ウランバートル大学の文学部には、ロシアやフランス関係の学科はあっても、日本文学科とか、日本学科というものはまだない。しかし、近く設けられるという話もある、と彼女はいった。

同大学には正規の講座はないが、日本語研究会といったものがあって、参加者が年々ふえている、という。

『モンゴル秘史』や『アルタン・トブチ』の研究をしている学者が、日本のその方面の研究を、日本語で読めるようになると、便利でしょう。きっと便利だと思います」

ツェベックマさんがそんな話をしているうちに、右手に紫色に染まった三つの美しい山が見え、左手にわれわれの包が散在している見馴れた景色が出現し、その景観の中へバスが入りはじめた。

異様な懐かしさがこみあげてきた。

ゴビン・ハタン

きょうは、ゴビを去る。

ウランバートルからの定期便は、午前十時半ごろこの包に着陸する予定だった。飛んできた飛行機が宿所の前に横づけになってくれるという変な快感が、ふたたび味わえるのである。

朝、包を出ると、曇り空というようなものではない。地球がよくまあこれだけの水蒸気を生産したものだと思えるほどに、一面の雲だった。そのくせ、空という光体の面積がひろいせいか、草原全体は変に明るかった。

食堂でロシアパンをちぎりながら空を眺めていると、異変に気づいた。濃紺に染まった「三つの美の山」の頂きに、淡く雪がかぶさっているのである。

「あれは、雪ですね」

「雪です」

ツェベックマさんは、他のモンゴル人と同様、ゴビの気象について明るい。雪の話をしばらく

したあと、思いだしたように、

「あの山の雪はよくありませんね」

と言い、しばらくだまった。

「なにか、あるのですか」

「飛行機が来ないかもしれません」

「雪で？」

「いいえ、雲で」

あの山に雪がふると、当然、山の上の雲の層が厚くなる。ウランバートルからの飛行機ははる
ばると有視界飛行でやってくるのだから、この草原に入る間際で密雲の関所が出来ていると、そ
れを飛び越えがたいという事情があるのかもしれない。

「来ないと、こまるな」

とは言えない感じだった。彼女が、私どものこまる事情のすべてを一身に引き受けてくれてい
て、だからだまって考えこんでいるのである。

しかし、こまることは、こまる。今日、欠航すればあすは日曜日で、飛行機はもともと来ない。
すると、帰路ふたたびソ連領を通って帰るのだが、ソ連の交通機関や宿泊機関は、こんな予定変
更者を許容してくれるかということである。おそらくまた一騒動も二騒動もしたあげく、帰国ま
で遅れるという可能性が大きい。

正午になっても、来なかった。

私はふと、一案を思いついた。

ビの草原にきたときも、飛行機の都合が悪くなり、やむなくゴビ砂漠をマイクロバスで縦断して

ウランバートルまで帰ったという。以上の話はまた聞きで聞いたことなのだが、ツェベックマさ

んもそのことを知っていて、本当です、といっていた。

縦断できぬことはないのではないか。

ゴビ砂漠縦断などというと、伝統の古い大学の登山部が十分の下調査と重武装をもって取り組

まねばならないほどのものだが、しかしモンゴル人は平気で――東京・福岡間の長距離トラック

のように縦断してゆく。たとえば、この南ゴビに配置されているマイクロバスにしてもそうで、

ゴビ砂漠を縦断して首都へ帰ってゆくのである。そのバスに乗せてもらえば、それでしまいでは

ないか。

もっとも、夜間の防寒具に事を欠く。それはこの包のベッドの毛布を借用すればよい。

食糧にこまるかもしれない。われわれが携行している食糧は、須田画伯が大事そうにかかえて

いたカップ・ヌードル十個あるのみである。いや、そのうちの一個は須田さんがイルクーツクの

宿で試食してしまった。あと何個残っているだろう。

遠くに出ている蜃気楼を描いている画伯に、背後からきいてみた。

「あれは、あなた、あなたが二つも食べたじゃありませんか」

私も、それを忘れていた。あわてて、じゃ、いくつ残っていますか、ときくと、

「幾つたってあなた、私も食べました。誰それさんも食べました」

「……すると」

「一つも、ありゃしませんよ」

　須田さんにはむろん、私の質問の本旨はわからないから、平和な顔で絵をつづけはじめた。う
かつにゴビ砂漠を縦断するなどと言えば、飛びあがってしまうにちがいない。

　しかし食糧は、食堂にすこし残っているはずとも思った。問題は、水である。ドラム罐一本で
足りるだろうか。もし途中で自動車が故障した場合のことを考えると、二本は用意したほうがい
いかもしれない。

　炊事と採暖用、または故障の場合の発煙用のための燃料も、十分持ってゆかねばならない。そ
れやこれやを考えると、あの小さなマイクロバスの容積で事足りるだろうか、などと考えた。道
草を踏みながら、思案した。問題は人間の耐久力である。大丈夫だろうか、などと考えてくるうちに、なぜ突
しても、橋松教授は七十を越えておられる。須田画伯はまだ六十代だからいいと
拍子もなくゴビ砂漠を縦断しようと思ったのかという根本に戻ってみた。ソ連であった。

　ソ連は結構な国ではあろうが、外国人にとってあまりにも外国でありすぎる。

　──地球上に残った最後の〝外国〟じゃないでしょうか。

　と、かつてソ連旅行をしたアメリカの日本学者が言ったことがある。旅行者としてのかれはお
よそ固有なものを好み、たとえば言葉も風俗も他と懸絶したアフガニスタンの田舎で数日過ごし
て、はじめて〝外国〟に自分がいまいるという感動を持ったと言った人で、だからかれのいう

"外国"は悪い意味ではない。殺風景にいえば、普遍的でない、という意味である。世界中、旅客に対するサーヴィスの精神や方法が普遍化して、たとえばインドの民間航空であれ、アフリカのホテルであれ、サーヴィスは一定の法則、作法に従っている。そういう意味で、地球上から"外国"が消滅してゆき、ソ連だけが残っている、ということがいえるかもしれない。

われわれの帰路にその"外国"が横たわっているために、できればクーポン券の日付どおりにイルクーツクやハバロフスクに到着したく、つまりはその強迫観念がバネになって、いっそ命を賭してゴビ砂漠を縦断しようか、と思い立ったのである。

考えてみると、ばかばかしくもある。

しかしこれと似たようなソ連についての"外国"観を、単に旅客者がもつだけでなく、政治のレベルでもあるいは持っている人が世界中にいるとすれば——むろんいるのだが——ソ連にとって決して利益であるとは思えない。相手が非普遍的なルールをもつ"外国"であるため、いっそゴビ砂漠をバスで縦断しようという政治的冒険をした国が、過去にあった。たとえばノモンハン事件など、例としては愚劣すぎるが、分類を寛大にすれば、あるいはその項目に入るかもしれない。

午後〇時半ごろ、私はツェベックマさんをさがした。彼女は、どこかへ電話しに行ったらしい。

食堂の裏にまわると、彼女はめずらしく急ぎ足で近づいてきた。

この案をどう思うか、と彼女にたずねたところ、彼女はダメダメダメと連呼して、

「あなたたち、みな死んでしまいます」

と断定した。おかげで折角の壮烈な案も、二ノ句も継げぬうちに、笑い話になってしまった。

「そんなことより、早くウランバートルへ帰ってラマ寺でも見にゆきましょう」

彼女は、いった。

「しかし、飛行機が来ますか」

「来ます」

彼女は確信をもっていた。どうやらほうぼうに電話をかけて適切な連絡をとったらしい。

午後一時二十分、ダランザダガドの方向に、一点の小さなしみが見えた。自家発電機をまわしていた例の若者が、私をふりかえって、笑顔になった。

機種は、来たときとおなじくソ連製ＡＮ24型（五十人乗り）である。高翼双発のいかにも働きものといった感じのこの飛行機はみるみる高度をさげて、やがてわれわれの頭上で、あいさつするかのように旋回しはじめた。

その旋回がくどすぎるので、ツェベックマさんに理由をきいた。

「怒っているのですよ」

と、意外な答えだった。

なるほど、いつのまにか操縦席の風防ガラスがひらいていて、陽焼けした副操縦士が首を突き出している。怒っている表情まで見えた。かれは、物を追うように、腕を激しくふった。

なるほど、飛行機が着陸しようと思っている場所に、これもいつのまにか、モンゴル馬が二十頭ほど、湧いて出たように草を食べているのである。うかつに着陸すれば飛行機は馬群と衝突事故をおこすかもしれず、副操縦士は、そんなことに気づかなかったわれわれを怒っているのである。

自家発電機の青年は、馬群にむかって駆けだした。飛行機は、膨れっ面で舞いあがり、遠くへ、それも機影が小さくなるまで飛び、やがて空の一角で一転した。ふたたび着陸態勢に入らねばならない。

頭が大きくて小柄なモンゴル馬たちは、依然として草を食べつつ、緩慢に去りはじめた。そのうち、追っている青年にどんなこつがあるのか、一頭がスイと駆けだした。それにつられ、他の連中もつづいて駆け出した。

一頭ずつの蹄から小っぽけな砂塵がボクボクと湧きあがってゆくが、集団が駆けても大砂塵にはならない。西洋馬の集団が駆けるときのような勇壮さはなく、それよりもいのちの可愛らしさのほうを感じてしまう風景だった。

そこへAN24型機が、空気をきり裂いて着陸した。車輪からあわい煙のような砂塵を吐き出しつつ滑走し、やがてとまった。

私は、機体にむかって歩き出した。踏んでゆくゴビ草原の草花の一本一本につよい哀愁を感じた。三十年間、この土地にあこがれた心象の景色に、つねにこの指ほどの長さの、そして一望何億本も風にそよいでいる草花のむれが入っていた。この薄紫色の花の名は、さきに触れた。しかし、別名があることを、さきに馬を追っていた青年（いま荷物を積みこんでいるが）からきいた。ゴビン・ハタン（ゴビの妻）という。このへんで遊牧する連中はみなそう称し、という。この草花のそよぐ大地に、このつぎいつ来ることができるかと思うと、ちょっとつらい感情が地上に残りそうだった。

AN24型機は、飛びあがった。

やがて座席のベルトをゆるめたとき、ツェベックマさんが、肥った体にしては可愛すぎる笑い声を立てた。

「よかったわね」

と、いうのである。

はじめ、意味がわからなかったが、やがて私をからかっているのだ、ということがわかった。ゴビ砂漠を縦断しなくて、という意味のようだった。

私の心覚えの手帳をみると、この翌日、ウランバートルの市内で、何軒かのラマ寺を見学した。翌々日、モンゴルを発つべく、ウランバートル飛行場で、前々日とおなじように、飛行機を待

っていた。ツェベックマさんが送りにきてくれた。

唐突だが、私の家内は、装身具の趣味がない。指輪もせず、耳飾りもしないという婦人は、モンゴル婦人の古来の常識からいえば考えられないことなのである。

ツェベックマさんは、そのことをよほど憐れんだのであろう。彼女は空港で別れるとき、小さな筐を家内の手ににぎらせ、「ご不自由はないのでしょうけれど」と、いい日本語でいった。

「なにもなさっていないのが、ふしぎなのです」

家内が筐をひらくと、青いトルコ石のペンダントが出てきた。台座の金の古びが、胸を突かれるような何かをあわただしく言ったところでは、祖母から母に伝わったもので、ずっと母の形見のつもりでいました……。

彼女があわただしく言ったところでは、祖母から母に伝わったもので、ずっと母の形見のつもりでいました……。

「……イミナには」

と、彼女は、レニングラード大学にいる娘さんの名を言い、イミナには私の他の物を与えます。私の母の形見が日本に行っているというだけでうれしいのです、といった。

機上から見おろしたウランバートルの街は、空気が乾いているため遠霞むということはない。緑の丘と青い川とそして白いビルで構成された色面が、鮮やかな色彩のまま、ただ小さくなってゆくのみである。

解　説

　『街道をゆく』第五巻のなかで、司馬氏は少年の日のあこがれの夢が、万里の長城のかなた、塞北の騎馬民族を対象としていたことをいくたびか語っている。

　戦後の文壇の鬼才、花田清輝もモンゴルの土地をあこがれの国として、いくつかの美しい小篇を書いている――「草原について」、「蒙古の天幕」、「モンゴル的人間像」など。この絢爛たるレトリックの作家のモンゴル心景は、若き日に観たプドキン監督の――検閲で無残に切られた――映画「アジアの嵐」による残像ともいうべきものであった。彼は「草原について」のなかで、この映画の初めにかかげられた詩句を引用している。

　　遠い東のはてに、広い国がある。

　その国の山々は高く、草原は広く、川は渦をまいてながれている。

　そしてその道は、はてしもなくつづいている。

　少年司馬遼太郎が心にいだいたモンゴル像、「蒼い天空の下を馬で駆けまわっているという大光景」は、おそらく若い花田清輝の心景にほとんど過不足なく重なるものであろう。ともに屈折と陰翳(いんえい)の多い若い日々のなかに、時たまあらわれる青空のようなものである。

『司馬遼太郎全集』（文芸春秋刊）第三十二巻の年譜に付された作家じしんの説明によると、数学が不得手の中学生は、いく度か挫折したあとで、数学を試験科目にいれない大阪外国語学校しか受験するところのないような立場におかれ、モンゴル語科の学生になった。少年の日の夢想とこのモンゴル語学習の選択とは、かならずしも直結するものではなかったであろう。むしろ時のはずみ、偶然による要素も多かったと思われる。モンゴル語を学びながらも「気持の悴れる思い」とだけみえたものを、やがて必然の正しい選択と、自分にも第三者にも理解させる大きな成長をする。

この作家が英語や中国語でなく、モンゴル語という普通の人にはえたいの知れない語学――ジンギス・カンが話し、現在の若い社会主義国がもちいている、古くしてあたらしい言葉――をえらんだのは、いまにして当然であり、作家の発展と運命的にむすびついている、といえるのではなかろうか。

作家として世に問うたはじめの作品群が「ペルシャの幻術師」、「戈壁の匈奴」など中世モンゴル人を主題にしているばかりでなく、その後の作品の多くに見られる視点のひろさ、構成の堅牢、性格像の乾いた勁さ、私小説的な情感の甘えの拒否、といった司馬文学の特質は、モンゴル語学習者の教養となにほどかの関わりがあるようである。

『モンゴル紀行』はかつては「夢想の国」であり、いまにしてじぶんの成長とすくなからぬつながりを見る思いの国への期待の旅である。しかし、この国に入るためには、作家が「関所」とよ

ぶところ、言葉の真実の意味における難関を通ってゆかねばならない。ハバロフスクの宿、イルクークの宿がそれであり、これらの街の所在する巨大な共産主義国家ぜんたいがそれであった。

この巻での作家のソ連体験は、ほとんどすべて「ヒューマニズムを政治化しているはずのソ連政府」の国家と社会にたいする卒直な批判であった。「陰鬱なるソ連」は、旅路の目的地、人も自然もつくり物でない「本物の国」モンゴルと対比されるために、共産主義の宗家たる国の問題性のさまざまが、いっそうあきらかになる。

すでに日本航空でこの国に入るにさいし、これからのソ連の旅のきびしさを思って、「たがいに日本国内で甘えたれっこしあっている社会的習慣から、ここで袂別してしまわねばならない」と覚悟する。そして想像通りの、あるいはそれ以上の不快な経験の数々がそこに待っていた。それはあるときは故障したままの水道設備だったり、あるときは不親切なフロントの係りであったり、あるいは旅客が「重苦しいばかりに従順」を示さねばならない飛行場であったりする。かくして、ソ連の交通制度の不快な重圧は、作家にとり耐えがたい嫌悪にちかい感情にまでなったようだ。

このため、後日モンゴルからの帰路にさいして、飛行便の欠航が予想されたとき、これによるスケジュール変更がソ連通過にさいしてひきおこす不快な騒ぎを避けるため、予定の時日にソ連を通過する必要から、作家は敢えて危険なゴビ砂漠をマイクロ・バスで縦断することを提案する——。さいわいに予定の飛行便が遅れながらも到着して、場合によっては全員死亡を覚悟すべきこの「壮烈な案」も笑い話でおわる。だが司馬氏にとってソ連の旅は、このような案を思いつか

せるまでに耐えがたく不快なものであった。それは旅客を「兇状旅の旅人」のごとくあつかい、「捕虜のように従順」であることを命ずる、屈辱と不安に満ちたものであった。

これが、この作家の個人的経験にとどまらないことは、なんらかの賓客として招待されたので

ない他のソ連旅行者たちも伝えるところである。

モンゴル研究者、田中克彦氏は、イルクーツク空港待合室備え付けの旅客用ノートに、ドイツ語、モンゴル語、日本語その他の国語による「ソ連とインツーリストを呪う罵詈雑言がかきつらねてあった」と報告している（『草原と革命』晶文社刊）。またたびたびソ連旅行を経験している作家、小田実氏が「これはソ連の官僚主義、無責任体制の民衆レベルへの滲透の一つの標本」だと説明して、女事務員とのやりとりを伝えている。すこしく長いが司馬氏の不快感の根元を理解するために、ここに紹介しておく必要があろう。

小田氏はその時、数日後に飛んでゆくはずのローマの空港の名前をたしかめるべく、モスクワの国営航空「アエロフロート」の本部に行き、カウンターの女性にきくと、「そんなことは知らない」と予期したとおりのそっけない返事である。ではどこに行けば教えてもらえるか、と訊ねかえすと、彼女は顔色ひとつかえずに「ここよ」と答える。これにはさすがの小田氏もびっくりして、「ここよ、というのはここにいるあなたに訊けばわかるということだろう」「イエス」と平然たる答が返ってくる。ついに『なんでも見てやろう』の作家も憤然として、「じゃあ、あなたにもう一度訊く。いやあなたに訊いたところで始まらない。そこにある本を開きたまえ。その本のなかに、ローマの空港がいくつあるか、名前は何というか出ているはずだ」。この怒りを満面

にあらわした命令に、はじめてその女性はしぶしぶ指定された本を開いて、ローマの「レオナル
ド・ダ・ビンチ空港」の名を早口に言った。この豊富な外国旅行の経験者はソ連の人文地理をはっ
きりと定義する。「あの何ごとも旅行者のためになしてくれそうもないインツーリストの女職
員たち、絶対にどのようにも責任ある行為にふみ出そうとしないことなかれ主義のお役人たち」

（『世界体験』第三巻、河出書房新社刊）。

司馬氏の場合にあっても、たんに観光サービスやホテルの設備を「世界に冠たる官僚
主義ソ連」の全体制の不合理が、潔癖な作家の心に重くのしかかり、かぎりなくいらだたせるの
である。かつての日本が犯した数々の罪過と錯誤を自責しながらも、この巨大国家がその末端に
いたるまで露わにしめす恣意と驕慢が耐えがたいのである。

よく知られているように、マックス・ウェバーは社会主義社会においては、資本主義社会にお
けるより一層の官僚体制がおこなわれ、「そこは労働者の独裁ではなく、官僚の独裁があるのだ」
（『社会主義論』）と予言した。また彼は、官僚制の完成において、専門家は精神をうしない、生活
者は愛情をうしなうとも警告した。しかし他面、多くの人々の挙げるロシア人の伝統的な人の良
さは、ここでどんな意味をもつのだろうか。

司馬氏も大黒屋光太夫の事蹟に関連して、「ロシア人の親切さや人のよさは、ときに神に近い
ような気さえする」と書いている。まさにこのような「神に近い」人々まで矛盾なくすっぽりと
組入れるのが、近代官僚制の特質というべきであろう。

詩人石原吉郎氏は戦争捕虜としての回想記に、じぶんたち十数名の日本人に重労働二十五年の

刑を課したソ連裁判官は、初老の実直そうな大佐だったと述べ、そして付言する。「ソビエト国家の官僚機構の圧倒的な部分は、自己の言動の意味をほとんど理解する力のない、このような実直で、善良な人びとでささえられているのである」（『世界体験』第三巻）。

かくしてソ連からモンゴルへの旅はなおさらに「お伽の国へゆく感じ」の解放感とよろこびにあふれるものとなる。

すでにイルクーツクのモンゴル領事館で、ヴィザの交渉にさいして示された好意的態度は、ソ連のそれとあまりにも差がありすぎた。ウランバートル到着の当初から、帰国のきわにいたるまで、通訳ツェベックマ女史の全心的な親切とおなじく、外蒙モンゴル人民共和国の風物と体制は「本物」と「誠実」とをあらわして、旅の途中の不安と憂鬱を忘れさせる。ただ、比較の公平のために考えねばならぬことは、ソ連での旅はまったく一介の旅行者としてのあつかいであったのにたいして、モンゴルでは同行の精松先生は著名なモンゴル語学者として知られており、またおそらく作家司馬遼太郎の名も、モンゴル語を学習した稀有な作家として紹介されていて、歓待される条件がそなわっていたという点である。

しかしそれだけではなく、もっと大きな要素が両国の状況の差をつくっていることもたしかな事実であろう。司馬氏は風土の伝統を考えて、現在のモンゴル人民共和国のなごやかな平和と秩序の状態が、かつての遊牧社会（現在この国はすでに国民の六〇パーセントが農業に従事）の良さを保ちつつ社会主義国家に移行したことに依るのであろうと書いている。

モンゴル遊牧民の性格について小林高四郎氏は『ジンギスカン』伝（岩波新書）のなかで、い

ろいろな東西の資料によりつつ、モンゴル人が窃盗を憎み、詐偽をきらい、主人に忠順であり、客人を大切にし、生活は開放的であることを挙げている。これによっても私たちは、司馬氏がこの国で経験した多くのことが、ジンギス・カンいらいの草原人たちの風土的性格に多分にもとづくことを知る。

これらの民族的美質が、共産主義を軸とした近代化の努力のなかでうしなわれるか否か、これはモンゴル社会の今後の発展のひとつの重要な課題かもしれない。ソ連がピョートル大帝、あるいはイヴン雷帝いらいの独裁制の風土のなかで、独自の共産主義体制をつくったこととおなじく、モンゴルが今後生きぬくために、ジンギス・カンによって打出された遊牧民族の秩序と統一がつくり上げた伝統的風土、これがどのような草原的共産主義を生みだすか。

この巻の「ジンギス・カンの平和」の章で、司馬氏はモンゴル人民共和国において、ジンギス・カン崇拝がソ連政府の方針により抑圧され、タブーになっていることを述べ、ソ連への批判とともに、自国の最大の歴史上の人物に「花輪を捧げる」ことのできないこの国の苦衷を、いたわりをもって語っている。この奇妙な状況は、すべてのモンゴル訪問者の報告しているところだが、そのひとり加藤九祚氏はこれに関連して、モンゴルとソ連科学アカデミーの共同編纂になる『モンゴル人民共和国史』（一九六七年版）の記事を紹介する。

「十三―十四世紀にモンゴル封建領主たちがすすめた破滅的、掠奪的戦争は被征服の諸民族だけでなく、モンゴル民族自身の生産力と文化の発展をその後長期にわたって阻害した。これは終局のところ、モンゴルの経済的、政治的分散をもたらしたのである」（『ユーラシア文明の旅』新潮選書）。

ジンギス・カンの名前は歴史書のなかですらタブーなのだ。そして加藤氏はことばをつづけて、「私の印象としてはモンゴル人はだれひとりチンギスハンを知らない人はいないけれども、この人物について多くを語りたがらないように思われた」と述べている。

私たちは、この国が資本主義を経ることなしに、遊牧民の中世封建制から直接に社会主義制に急変した革命史について、またソ連の衛星国としての微妙な現状について、まだ知るところすくない。日本との国交は、司馬氏のモンゴル紀行の前年、昭和四十七(一九七二)年二月にひらかれたばかりである。そのころ私の知人が必要あって日本内地でモンゴル共和国人と接触しようとしたが、ひとりも見つけることができなかったし、東京外大で当時モンゴル語をおしえていたのは、台湾から渡ってきたという奇妙な経歴の内蒙人だった――。そのような白紙の状況のなかから、私たちは、この国への理解をすすめねばならないのだ。

革命の経過を要約して、モンゴル研究者磯野富士子女史は述べている。

「モンゴルの発展も決して平坦なものではなく、急速な社会主義化からくる無理、それと結びついた反革命の動きと粛清、一九三九年のハルハ河の戦い(ノモンハン事件)になって噴出した日本からの脅威、第二次世界大戦と続いた数々の事件は、人民政府に腰を据えて国造りにかかるいとまを与えなかった」(『モンゴル革命』中公新書)

若い社会主義国家の内部の問題だけでなく、この国の近代史はロシアと中国とのはげしい対立のために、つねにゆり動かされた。全体としてはオーエン・ラティモア氏のいうごとく、「モンゴルの支配者たちは、つねにロシアともっとも親しくせんとする志向をもつ」のであって、これ

が現在のソ連との関係にもあらわれている。

しかし永い歴史の上の交渉、ことに清朝いらいモンゴルの完全領有二百年の権利を主張するのは中国である。日本の歴史家のなかにも、つぎのような意見のあることを——ことに日中平和友好条約が、いわゆる覇権問題で難航の上で成立した現在（一九七八年）——私たちは知っておくべきであろう。

「外蒙古は……完全なる中国の領土たるべきものである。これを武力によって独立させ、ソ連の衛星国と化したのは、ソ連が覇権国家たる所以であるとするのが、現今の中国人の論理であり、この外蒙古問題が解決せざる限り、中ソ和解はあり得ないとするのが、私の考えである」（宮崎市定『中国史』岩波全書）。

いまモンゴル人民共和国は、国の内と外のさまざまの矛盾とたたかいながら、じぶんたちの社会主義化と近代化をすすめねばならない。彼らはこの重大な国家の課題を完成するための平和と秩序をうるべく、すでに数々の犠牲をはらってきた。モンゴル北辺の地をトゥワ自治州として、一九二四年ソ連に割譲したのもそのためであった。ジンギス・カンの名を歴史の表面から抹殺することを惜しむべきでない。モンゴルの国家理性はこのように決意したのだろうか。

旅の一夜、ゴビの砂漠の星をながめながら、作家はモンゴルの平和がジンギス・カンとひきかえの平和であり、「ジンギス・カンの平和」であると知る。

かくてかつて作家の少年の日の夢は、ソ連やモンゴルのきびしい現代史にもかかわらず、うつ

くしくかなえられた。別れに際して贈られた、草原の国の真情のこもる、ペンダントのトルコ玉の青緑のかがやきは、そのたしかなひとつの証でもあったろう。

牧 祥三

モンゴル紀行　街道をゆく5　　（朝日文庫）

1978年12月20日　第1刷発行
2003年1月30日　第28刷発行

著　者　司馬遼太郎

発 行 者　柴野次郎
発 行 所　朝日新聞社
　　　　　〒104-8011 東京都中央区築地5-3-2
　　　　　電話　03（3545）0131（代表）
　　　　　編集＝書籍編集部　販売＝出版販売部
　　　　　振替　00190-0-155414
印刷製本　凸版印刷株式会社

ISBN4-02-260175-2

朝日文庫

塩野七生
ルネサンス歴史絵巻　三部作

東にトルコ帝国、　北にフランスとイギリス、西にスペイン。
16世紀前半、専制君主が君臨する
大国に挟撃されて、海の都ヴェネツィア共和国は
国家存亡の危機に瀕していた。
若きヴェネツィア貴族マルコ・ダンドロは
国難の真っ只中に身を投じるが……。
権謀術数渦巻く地中海世界を描く。

◉─ 緋色のヴェネツィア　聖マルコ殺人事件

若き貴族と謎の遊女、元首の庶子と貴婦人。　交錯する愛と野望

巻末エッセイ・池内　紀

◉─ 銀色のフィレンツェ　メディチ家殺人事件

大国の政略に翻弄される花の都。　暴君の公爵に冷たい刃が迫る……

巻末エッセイ・権田萬治

◉─ 黄金のローマ　法王庁殺人事件

遊女オリンピアの秘密とは？……ルネサンス最後のローマ法王の時代

巻末エッセイ・清水　徹

池波正太郎コレクション

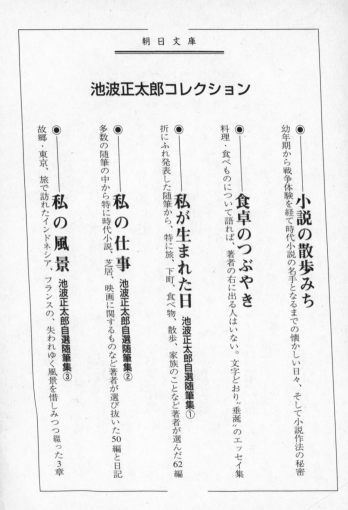

● ──**小説の散歩みち**

幼年期から戦争体験を経て時代小説の名手となるまでの懐かしい日々、そして小説作法の秘密

● ──**食卓のつぶやき**

料理・食べものについて語れば、著者の右に出る人はいない。文字どおり〝垂涎〟のエッセイ集

● ──**私が生まれた日** 池波正太郎自選随筆集①

折にふれ発表した随筆から、特に旅、下町、食べ物、散歩、家族のことなど著者が選んだ62編

● ──**私の仕事** 池波正太郎自選随筆集②

多数の随筆の中から特に時代小説、芝居、映画に関するものなど著者が選び抜いた50編と日記

● ──**私の風景** 池波正太郎自選随筆集③

故郷・東京、旅で訪れたインドネシア、フランスの、失われゆく風景を惜しみつつ綴った3章

陳舜臣コレクション

歴史入門書・雄大なドラマ・珠玉の随想

● ——ものがたり **唐代伝奇**（とうだいでんき）
物語の中の物語〈伝奇〉……悲劇、活劇、怪奇譚の数々から選りすぐった十七編の唐代伝奇物語集

● **茶の話** ——茶事遍路（さじへんろ）
茶碗を手に、ふと茶の世界に遊ぶ。茶にまつわるさまざまな歴史・文化に思いを馳せる好読物

● ——ものがたり **水滸伝**（すいこでん）
梁山泊に拠る百八人の無頼の豪傑たちが、権力に立ち向かって縦横無尽に暴れ回る大活劇ロマン

● **儒教三千年**（じゅきょうさんぜんねん）
儒教とは何か――三千年の長きにわたる歴史を繙きつつ、現代に生きる哲学の秘密を探る入門書

● ——ものがたり **史記**（しき）
中国の歴史書の白眉にして日中両国で教養人必読の書を、やさしく説きおこした新編『史記』

● **含笑花の木**（がんしょうか）
中国への取材旅行で目にした景観と人々の暮らし――作家としての原点を見つめたエッセイ集

● **西域余聞**（せいいきよぶん）
夢の交易路・シルクロードをゆきかった文物を通して、東西の文化交流の姿を活写した歴史随想

● **麒麟の志**（きりんのこころざし）
韻律が奏でる広やかな世界――歴史小説家のもう一つの魅力にふれる。自作漢詩とエッセイ集

● **録外録**（ろくがいろく）
マルコ・ポーロ、ガーザーン汗……中国の正史の影に垣間見える傑出した人物の夢と運命を描く

● **残糸の曲**〈上・下〉（ざんしのきょく）
第二次大戦前の神戸・上海を舞台に、二つの祖国の狭間で成長してゆく少年の波乱の道程

● ——**天竺への道**（てんじく）
唐代初め、天竺へ密出国し、艱難辛苦の果てに仏教の教典を持ち帰った玄奘法師の足跡を辿る

● **桃花流水**〈上・下〉（とうかりゅうすい）
故国中国の危機――抗日運動にめざめた美貌の娘・碧雲。乱世に生きる人間の宿命と愛。感動巨編

朝日文庫

司馬遼太郎コレクション

古今東西を往還しつつ、文明・文化の未来を探る

朝日文庫

司馬遼太郎
『街道をゆく』シリーズ
［全43冊］

沖縄から北海道にいたるまで各地の街道をたずね、
そして波濤を越えてモンゴル、韓国、中国をはじめ洋の東西へ
自在に展開する「司馬史観」

朝日新聞社 編
司馬遼太郎の遺産「街道をゆく」

モンゴル紀行

街道をゆく 5

司馬遼太郎

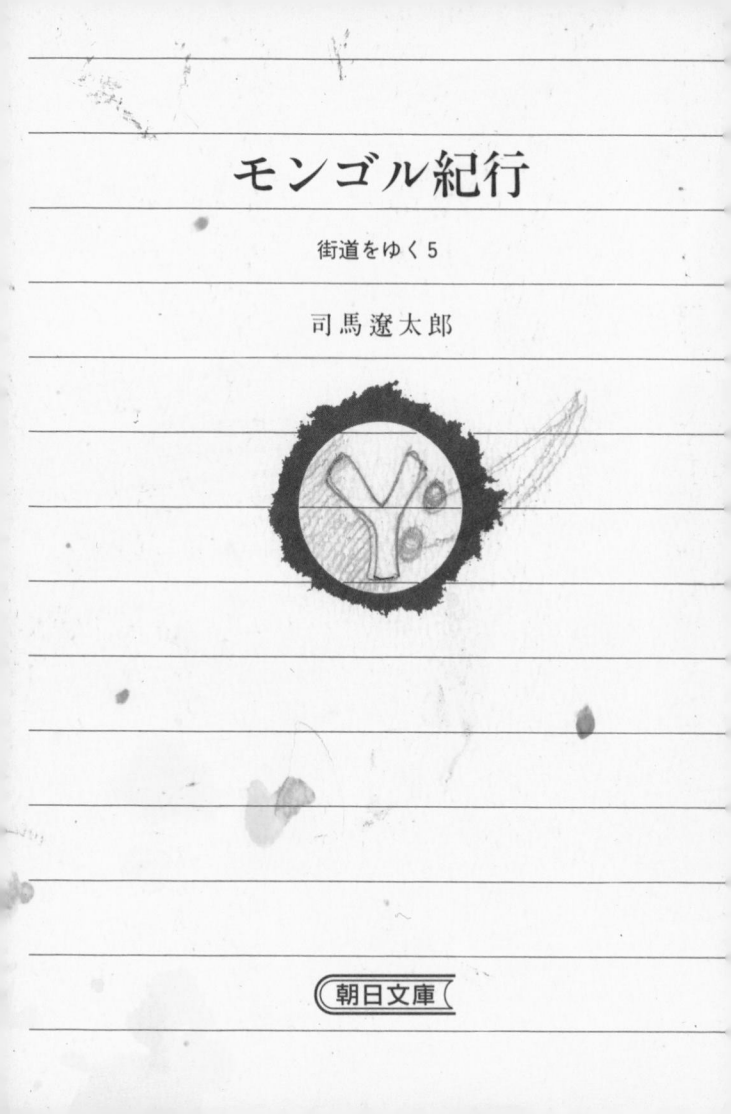

朝日文庫

連載・週刊朝日　一九七三年十一月二日号～一九七四年六月十四日号

単行本‥‥‥‥‥‥‥‥‥‥‥‥‥‥‥‥‥一九七四年十月　朝日新聞社刊

モンゴル紀行

街道をゆく5

司馬遼太郎

朝日文庫